T / BEAUTY

グルメも美容もお土産も！

地元価格で楽しむ
台湾コスパ旅

小河知恵子

双葉社

はじめに

台湾入国に伴う自主防疫期間が廃止されて1年以上。台湾にも外国人観光客が戻り、街を歩くと様々な言語を耳にするようになりました。特によく聞こえてくるのは、韓国語やタイ語。私が台湾で暮らし始めた5年前は、どこを歩いていても日本人の声が聞こえてきたものですが、今は状況が変わったといえます。

その際たる理由が、止まらない円安ではないでしょうか？

5年前、1台湾ドルは3.6円程度でしたが、今では4.7円〜4.8円。当時、日本円にして12万円そこそこだった家賃が17万円に迫るようになったわけですから、これはなかなか由々しき事態です。しかも私の収入のほとんどは日本円。海外旅行に行きたくても、ちょっと踏みとどまってしまう、という人の気持ちはとてもよくわかります。

でも台湾は、旅行を諦めるには惜しすぎるくらい、素敵で楽しい国です。少し工夫をすれば、まだまだおトクに遊べる余地も残されています。

ならば、その余地をぎゅっとまとめたガイドブックを執筆してみよう、ということでこの本は生まれました。

現地に住んでいるからこそわかる、安くておいしいローカルグルメから、お金をかけずに遊べるスポット、気張らず買えるお土産、台湾ならではの癒し&美容などを、ページが許す限り、たっぷり詰め込みました。さらに後半には、短い時間で無駄なく台湾を楽しむ段取りや、おトクな割引情報も集録しています。

こうなると、「101が見えるレストランで優雅に飲茶♡」というような旅行とはかけ離れ、地元民の過ごし方と変わらなくなってきます。

でもそれでいいんだと思います。現地の暮らしに近くなるからこそわかる楽しさの隠し扉を、台湾はまだまだたくさん持っています。ぜひ扉を開けて、その先に進んでみてください。

2024年4月

台湾料理研究家・小河知恵子

地元価格で楽しむ台湾コスパ旅 Contents

Chapter 3 おいしい! 使える! 台湾みやげ

Chapter 4 台湾ならではの美と癒し

Chapter 5 おさえておきたい台湾コスパ術

台湾の基本情報と物価、必需品

旅行を計画するなら、まずは押さえておきたい台湾の基本情報。
さらに、物価と必需品もチェックしておけば、旅先でも心に余裕を持てます。

台湾の基本情報

所要時間	東京（成田、羽田）から3時間半～4時間
通過	元（ニュー台湾ドル）
レート	1元＝4.8円程度（2024年4月現在）
時差	−1時間
公用語	北京語を主体とし、台湾語、客花語なども
気候	亜熱帯気候。日本に比べると寒暖差が少ない
トイレ	基本的にトイレットペーパーは流せます

台湾の物価

水	600mlペットボトル　20元
コーヒー	60元～
牛乳	936ml 80元～
屋台料理	1食40元～
食堂料理	1食80元～
タクシー初乗り	85元
地下鉄（MRT）初乗り	20元

台湾の必需品

折り畳み傘	突然のスコール対策に
エコバッグ	基本、袋はもらえません。
マイボトル	マイボトル持参でドリンクが5元引きに
虫除けスプレー	蚊が日本より多い！
羽織るもの	室内は思いの外冷えます
ウェットティッシュ	食べ歩きの必需品

Chapter 1

TAIWAN Gourmet

台湾美食

おトクに楽しむ台湾グルメ

台湾最高！

朝ごはん小籠包なら 鼎泰豊の1／2の価格

台湾グルメといえば小籠包。小籠包といえば『鼎泰豊』が有名ですが、2024年4月現在、1籠（10個）の価格は250元。ひとつ25元という計算になります。ここで紹介する朝ごはん小籠包はひとつ13元以下がほとんど。さらに、大きめで肉汁たっぷり。鼎泰豊に負けないおいしさです。

純手桿原味湯包 8個　100元

透けるほどの薄皮、たぷんたぷんの肉汁に涙

イートイン席は2席だけ、という小さなお店でいただく、こだわりの小籠包。皮、肉汁、餡、全てのバランスがよく、生姜やタレが必要ないくらいのクオリティ。

台北市第一果菜批發市場の場外市場で営業するテイクアウトメインの屋台。小籠包の他にも大根餅が有名。自家製唐辛子ソースも美味！

津富倉　ジンフーツァン

台北市萬華區萬大路495號7-11旁

火曜日～日曜日　6:00-11:30　休 月曜日

プレーンな小籠包の他にも、しっかりと辛い麻辣小籠包（表紙参照）もおすすめ。さらっとして飲みやすい豆乳との相性もバッチリ。

芙蓉湯包　フーロンタンバオ

台北市松山區南京東路三段303巷6弄6號1 樓

月曜日～土曜日 7:00-13:00　休 日曜日

原味小籠包 8個　100元

トリュフ味 8個　120元

市場エリアで一際目を引くトリュフ小籠包

この価格でトリュフ小籠包が食べられるなんて夢のよう（鼎泰豊は8個420元）。プレーン小籠包、バジル小籠包（100元）も高級店レベル。

小籠包 5個　50元

C

ふかふかタイプの小籠包なら絶対ここ！

皮が厚く、肉まんに近い小籠包。実はこちらが本来の小籠包で、薄皮肉汁タイプは小籠湯包といいます。餡がたっぷりでジューシー。

川畝園麺食館

チュァンムーユエンミィエンシーグアン

中山駅すぐのお洒落エリア「赤峰街」付近で行列を見つけたらここ。麺や小籠包など粉もの料理が名物。ポリ袋に入った小皿料理も趣深い。

台北市大同區承德路二段1巷31號　月曜日～土曜日 11:00-13:30、16:30-19:30　休 日曜日

湯包洪

タンバオホン

イートインスペースはなく、テイクアウトがメイン。それでも行列が絶えず、時には品切れも。目の前に公園があるので、ベンチに座って食べて。

台北市中山區合江街18號　06:00-13:00、16:30-18:30　休 無休

永康街小籠包40年老字號

ヨンカンジェシャオロンバオ40ネエンラオズーハオ

長い間永康街で営業している小籠包屋さん。つい最近まで手押し車の屋台だった。小籠包は1個から購入可能。

台北市大安區永康街6之4號　6:10-13:00　休 無休

＼ 寝坊しても大丈夫！ ／

昼から営業のコスパ小籠包

E

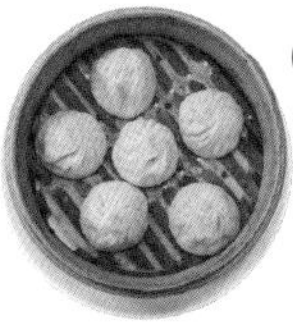

朝ごはんの時間を逃してしまってもあきらめないで。ここでお値打ち小籠包が食べられます。

D

純手桿原味湯包 8個　100元

これはもう肉汁の海。泳ぐように味わって。

皮をやぶると、レンゲが肉汁で満たされる。一口では頬張れないほどのボリュームながらも、添えられた玉ネギが爽やかで、スルッと食べられる。

　お店の場所はP.121からのQRコードをご参照ください。

伝統スタイルの朝ごはん色々
豆乳系朝ごはん

台湾の朝ごはんは種類豊富。お粥や麺、小籠包に蒸したモツなど、数えきれないくらいですが、その中でも伝統的なものといえば、豆乳を作るお店が出す朝ごはんでしょう。その伝統朝ごはんの中にも様々な料理があるので、ここで紹介します。

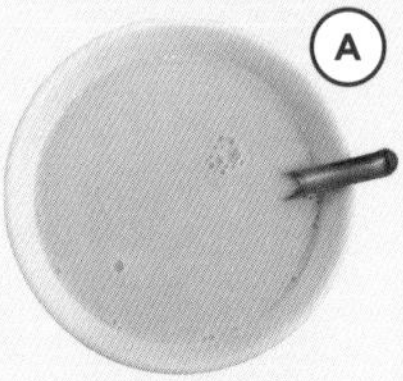

日本とは作り方が違う！
飲みやすい台湾豆乳

豆漿（S） 20元

日本の豆乳は大豆を煮てから撹拌して濾すのに対し、台湾では生の大豆を撹拌して最後に温める。サラッとした口当たりの秘密はここにあり。

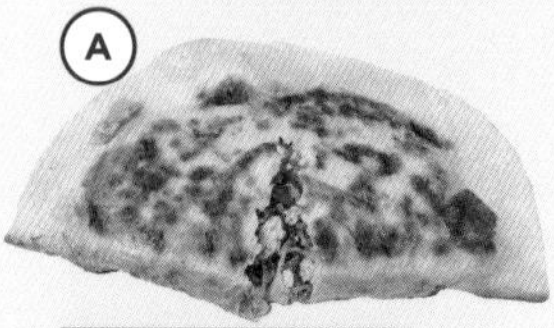

韭菜盒 30元

ニラと春雨、卵がはいったお焼き（韭菜盒）も定番！

飯糰 35元

これが基本の台湾おにぎり

日本にはない長粒米のもち米を使うのが台湾おにぎりの特徴。通常のもち米よりもさっぱりしていて食べやすい。

煎ったピーナッツと米に水を加え、撹拌したものが米漿。豆漿と並んで伝統朝ごはん屋さんの定番ドリンク。三温糖のやさしい甘さに癒される。

香濃米漿（小） 15元

とろりと濃厚、
ピーナッツ香る
ライスミルク

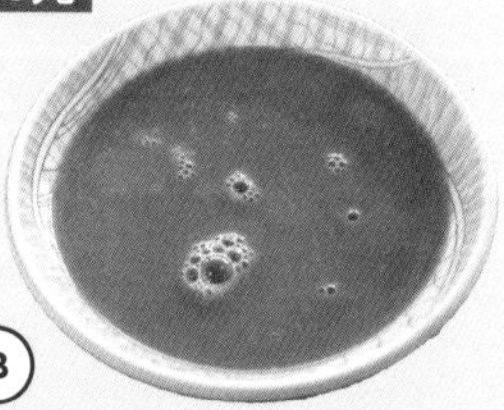

MRT士林駅から1キロと、少し遠いけれど、食べに行く価値のある朝ごはん屋さん。朝食店には珍しく焼き餃子もある。絶品なのでお試しを。

囍宅豆漿 シージャイドウジャアン

台北市士林區社正路48號
18:00-10:00 休 無休

MRT大橋頭駅から徒歩15分。地元で親しまれている朝ごはん屋さん。看板メニューの揚げ蛋餅は他では食べられないニラ入り。

津津豆漿 ジンジンドウジャアン

台北市大同區延平北路四段5號 4:30~11:00
休 無休

鹹豆漿（小） 35元

風味豊かな豆乳に揚げパンが浮かぶ、食べるスープ

漬物や干しアミエビ、ゴマ油、お酢などが入ったお碗に、温かい豆乳を注いで作る。ゆるく固まった豆乳に、漬物の食感がアクセント。

サクッとした歯触りが魅力の中華風パイサンド

ラードを加えた生地に、白ゴマをふって焼き上げるサクッとしたパイ。卵やハムを挟むのも一般的ですが、揚げパンを挟むのも地元では人気。

燒餅（火腿） 40元

蛋餅（獅子頭） 55元

台湾版クレープは中に入れる具材選びが肝！

卵入りの焼きクレープ。今回はトッピングとして、お店の名物「肉団子」をイン！　辛くない豆板醤を使ったタレと相性抜群。

中崙市場近くにある「何を食べてもハズレ無し」な朝ごはん屋さん。定番料理以外にも、肉団子が人気。夕ご飯のおかずにも◎

泰小姐豆漿店　タイシャオジエドウジャアンディエン

台北市松山區延吉街7-6號
5:30-13:30　休 無休

饅頭夾蛋（蔥蛋） 30元

小麦の香りが広がる蒸しパン卵焼きサンド

肉が入っていない肉まん（白いフワフワ部分だけ）を饅頭（マントウ）といいます。これにネギ入りの卵焼きを挟んだ饅頭夾蛋は持ち帰り朝ごはんの定番！

 お店の場所はP.121からのQRコードをご参照ください。

朝からハンバーガーが地元スタイル
朝ごはん専門店

外食文化が発展している台湾では、朝もお店で食べるのが一般的。豆乳屋さんの伝統朝ごはんも有名ですが、実際台湾の人が日々行くのは、それとはちょっと違ったスタイルのお店です。観光ではなかなか食べる機会のない、地元の朝ごはんをのぞいてみましょう。

A

招牌漢堡　40元

さっぱり食べられる台湾バーガーの基本形

ニンジン入りのパテ、空気を含んだ軽いバンズは、重くないので朝ごはんにぴったり。レタスではなく、細切りキュウリを使うところがニクイ。

B

板橋炸肉漢堡　95元

セットメニューが秀逸なおしゃれバーガー。

ハンバーガーのクオリティもさることながら、セットのポテトにつく、台湾独特の伝統調味料「豆腐乳」を使ったソースにも感動。

POINT
セットにすれば、伝統と流行がいっぺんに味わえる！

イマドキの朝ごはん屋さんながらも味は本物。セットメニューには、台湾の結婚式料理でおなじみの、揚げ白玉も含まれる。

好初早餐　ハオチューザオツァン

台北市大同區長安西路124號　月曜日〜金曜日7:30-15:00、土曜日〜日曜日8:00-15:30　休 無休

MRT忠孝新生駅6番出口目の前という便利な立地。派手さはないけれど変わらぬ味で、出勤前の会社員からの支持が熱い。

來來漢堡　ライライハンバオ

台北市大安區新生南路一段103號
5:30-13:00　休 無休

豬排蛋三明治　50元

豚の照り焼きと たっぷり野菜のホットサンド

日本のホットサンドは耳付き食パンで作ることが多いけれど、台湾では耳なし食パンが基本。豚の照り焼きは定番具材のひとつ。

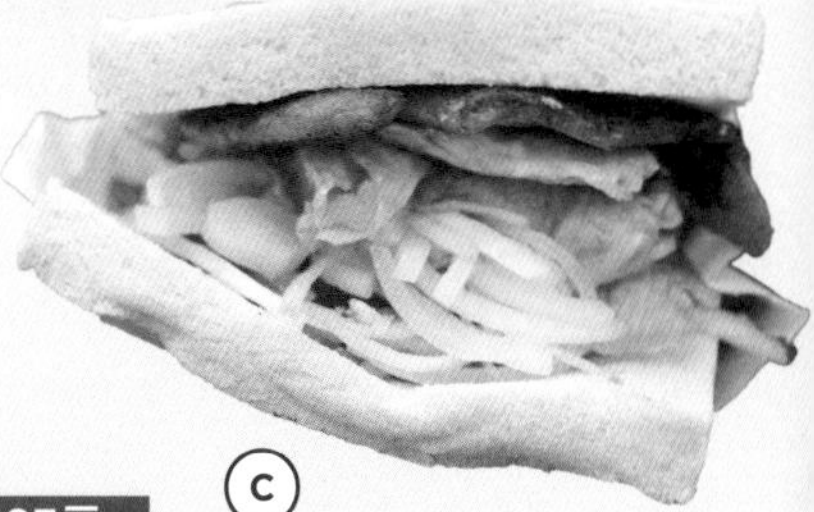

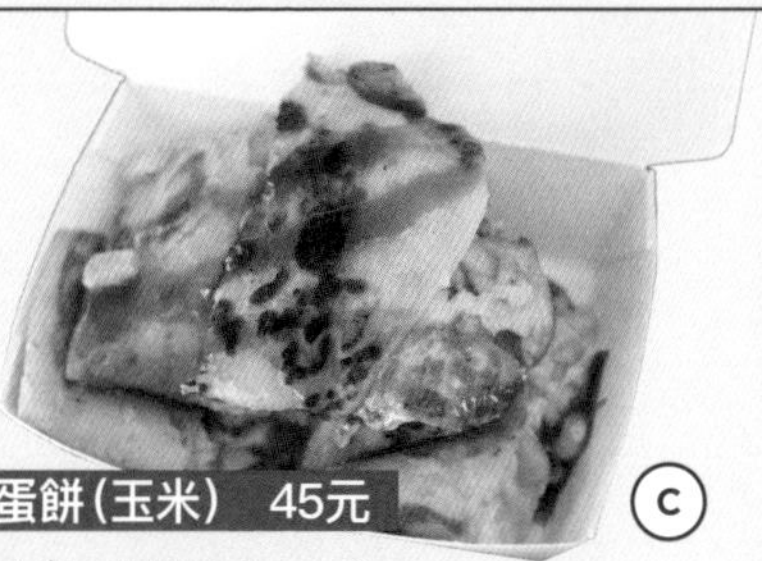

蛋餅(玉米)　45元

香ばしく焼いた クレープとコーンの相性は抜群

ハンバーガー系朝ご飯店でも食べられる蛋餅。市販の生地を使ったシンプルタイプ、水溶き小麦粉を使ったもっちりタイプ、揚げ焼きしたパリパリタイプなど、形態は様々。

花生厚片 25元

ただのトーストも 日本とはちょっと違う

超分厚いのが台湾朝食トーストの特徴。さらに切れ目の入れ方も違います。日本はだいたい十字に切るのに対し、台湾ではXが基本。

黑胡椒鐵板麵十蛋十菜　55元

焼きそばなの？パスタなの？ 謎のコショウ麺

ソースを絡めるパスタ要素もあり、茹で麺を炒める焼きそば要素もある麺。味の決め手はガッツリ効かせた黒コショウ。辛さで目が覚めます。

10軒以上の朝ごはん屋さんが並ぶ交差点の一角にあるお店。目の前の成功高等学校の学生たちが、朝テイクアウトしていく姿も微笑ましい。

桔子早午餐　ジューズザオウーツァン

台北市中正區青島東路21之8號

6:30-15:00　㊡土曜日

バラエティ豊かでリーズナブル
市場の朝ごはん

台湾で朝ごはんを楽しむなら、ぜひ向かってほしいのが市場です。台北には、公設市場だけでも41ヶ所もあり、それ以外の小さな市場を含めると、数はさらに増えます。せまい台北ですから、滞在先付近にも必ず市場があるはず。新鮮な食材を使った地元料理を楽しんでみてください。

金針排酥骨脆腸冬粉　110元

直訳は『カンゾウの花、揚げ豚、モツ入り春雨』

「ウコンカンゾウ」の花には馴染みがなくても、そのやさしい味わいを知れば大好きになるはず。香りよくスッキリとしたスープにつるりとした春雨が相性抜群！

魚丸湯麵　70元

魚のつみれから肉汁があふれ出す!?

カジキやサメなどのすり身で肉団子を包んだ練り物が福州魚丸。スープとして食べても、麺を入れてもいいいいですが、お腹に余裕があればぜひ茹で麺を入れたい。

御紘福福州魚丸店

ユーホンフーフーヂョウユーワンディエン

福州から伝わる肉入りつみれのお店。看板メニューのスープだけでなく、魯肉飯やビーフンも美味。干しキャベツの台湾キムチも推せる！

📍台北市中正區臨沂街75巷1號　東門市場　🕒火曜日～土曜日7:00-18:00、日曜日7:00-13:30　㊡月曜日

麗園壽司

リーユエンショウスー

3代続く名店ながらもガイドブックに取り上げられることが少ない穴場的お店。これ以上混まないで欲しいので本当は秘密にしたい！

📍台北市中正區連雲街74之3號　東門市場

🕒火曜日～日曜日7:30-14:00

㊡月曜日

D

豬肝（黒白切） 60元

台湾では朝からホルモンが普通。臭みは皆無！

朝ごはんにシンプルな麺を選んだら、蒸した豚ホルモンも一緒に食べるのが一般的。念入りに処理してあるので臭みは感じません。

潤餅捲 45元

ヘルシー代表。野菜たっぷりの大きな春巻き

強力粉で作った薄い皮に、揚げた豚肉の細切りや野菜をのせて、ピーナッツの粉と一緒に包む。野菜が不足しがちな台湾料理の中で、貴重な存在。

C

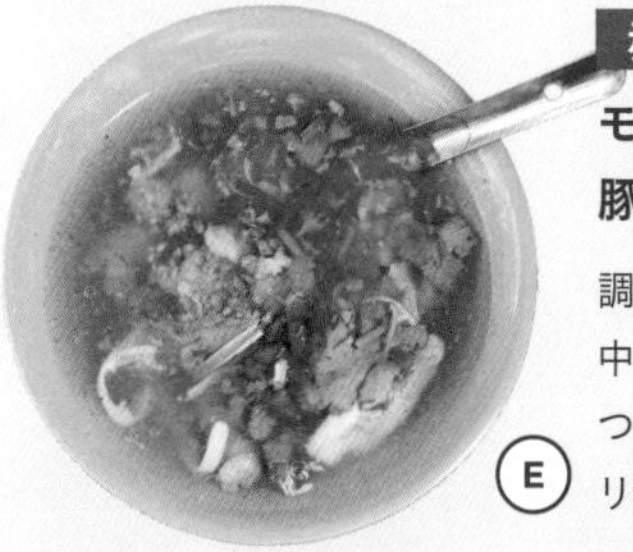

E

赤肉焿 45元

モモ肉なのにやわらかい！豚のとろみスープ

調味料を揉み込んだ豚モモ肉を、汁の中で煮込んだスープ。サツマイモ粉でつけたやさしいとろみに、フライドガーリックがアクセント。

現作赤肉焿魯肉飯

シィエンズオチーロウゲンルーロウファン

この本で紹介するお店の中でも1位2位を争うローカル具合。食事スペースが豚肉屋台と隣接しているので、バンバン捌く様子も見られる。

📍台北市中山區民族東路410巷11號1樓 🕒火曜日～日曜日7:00-13:00 ㊡月曜日

燕山湯圓

イェンシャンタンユエン

お寺の脇で営業する肉入りスープ白玉をメインとするお店。麺や蒸したモツのおいしさも安定しているので迷ったらここで！

📍台北市中山區民生西路45巷9弄12號 🕒月曜日～土曜日7:00-19:00（土曜日のみ15:00まで） ㊡無休

楊媽媽潤餅捲

ヤンマーマールンピンチェン

新埔市場を抜けたところで営業する小さな屋台。中に入れる甘いピーナツ粉は黒すり胡麻にも変更可能。開店まもなく行列ができる。

📍新北市板橋區自由路1號新埔市場 🕒月曜日～土曜日10:00~14:00 ㊡日曜日

 お店の場所はP.121からのQRコードをご参照ください。

お肉たっぷりで160元以下 大満足の牛肉麺

台湾名物ともいえる麺が牛肉麺。以前は一杯100元台でしたが、最近は値上がりし、250元は当たり前。中には1000元を超えるものも。ここでは、リーズナブルな価格とおいしさを守る名店をご紹介します。

牛肉麺　150元

スープまでごくごく飲める名店の牛肉麺

辛いけれど、ベースはすっきりとした醤油味のスープなので食べやすい。適度に噛みごたえのある牛肉から旨みが溢れ出す。

牛肉麺（小）　100元

小なのにまさかのボリューム。しかも100元

驚きの100元牛肉麺。しかもスープと麺はおかわり無料。さらにコーラも無料。肝心のお味は…？おいしくなかったらこの本に載せません。

安いだけでなく、便利な24時間営業。牛肉麺は小中大と大きさを選べるけれど、小でも日本のラーメンよりデカい。

富宏牛肉麵

フーホンニュウローミィエン

台北市萬華區洛陽街67-69號　24時間営業
休 無休

2022年、ビブグルマンに選出。大衆的な食堂でありながら、鼎泰豐のようなメニューが食べられる。開店30分で行列が。

川畝園麵食館

チュァンムーユエンミィエンシーグゥアン

台北市大同區承德路二段1巷31號
月曜日〜土曜日11:00–13:30、16:30–19:30
休 日曜日

C

清燉牛肉麵　160元

辛くない
透明スープの塩味牛肉麺

牛骨や豚骨、野菜や漢方を一緒に煮込んだスープを使う牛肉麺。醤油ではなく塩で味をつけるので、食材の香りがダイレクトに伝わる。

D

番茄牛肉刀削麵　160元

台湾で刀削麺といったら
トマト味が定番

ほのかに漢方が香る濃厚なトマトスープに、柔らかく煮込まれた牛肉がゴロゴロ。モチモチの刀削麺はのびにくいのでお持ち帰りにもぴったり。大人も子どもも好きな味。

こんな食べ方も
おすすめ!!

大きめの牛肉麺屋さんには､必ずといっていいほど水餃子があります。この水餃子を牛肉麺の中に入れるのもオツな食べ方。

トマト味の牛肉刀削麺のお店。午後に、お店のおじさんたちが外でトマトを湯むきしている姿からも丁寧な仕事が伝わる。

甘記番茄刀削麵
ガンジーファンチィエニュウローミィエン

台北市中山區四平街42號　月曜日〜土曜日11:00-14:00、17:00-20:00　休日曜日

香港にも支店を持つ牛肉麺チェーン。すっきりとしたスープの中に感じるコクとまろやかさが魅力。おかず類も多数。

玖五牛肉麵
ジュウウーニュウローミィエン

台北市中山區農安街16-1號　10:30-15:00、16:00-22:30　休無休

お店の場所はP.121からのQRコードをご参照ください。

さっぱり食べられる50元以下の麺

台湾の麺は、種類も食べ方も日本より豊富です。値段も安いので、旅行中に何度か食べられるかもしれません。ここでは台湾でよく食べられているシンプルな麺を紹介します。

A

陽春麵　40元

シンプルだからこそ実力がわかる完璧な麺

透き通ったスープに、ツルツルの麺、モヤシの茹で具合まで計算された完璧な出来に頭が下がります。飲んだ翌日でもスッとお腹に収ります。

B

乾麵（油麵）　20元

お会計時に驚く一杯20元の麺

薄味の汁なし麺には、名物の豚ホルモンを合わせたい。どの部位もプリプリでやわらか。ホルモンは時価ですが麺は固定で20元。

賣麵炎仔

マイミィエンイェンザイ

店内を見渡すと驚異のおじさん率。9割が男性客ですが、こういうお店は間違いなくおいしい。ミシュランのビブグルマンにも選出されています。

台北市大同區安西街106號
月曜日～日曜日7:00-14:30

阿田麵

アーティエンミィエン

小さいけれど、近所の幼稚園生も社会科見学に来るほどの有名店。変わらぬおいしさで地元民からの人気も高い。1950年創業。

台北市大同區赤峰街44巷20號　月曜日～金曜日10:00-15:00　㊡土曜日、日曜日

乾麺　30元

自由自在に
カスタマイズ可能な汁なし麺

シンプルに茹で上げた麺に、エシャロットを炒めた油とタレをかけた混ぜ麺。ウスターや唐辛子、ラー油をかけてお好みの味を楽しめます。

古早麺　45元

白ごはんみたいなやさしい味のスープ麺

エビの出汁が効いたスープに、やわらかい油麺（茹で麺）を入れたどこまでもやさしい味わいの麺。おかずの邪魔をしないのがうれしい。

乾意麺　45元

卵入りのちぢれ麺に濃厚なタレがよく絡む

日本のカップ麺のベースになったともいわれる台南の麺が意麺。主に汁なし麺で食べることが多く、ツルッとした舌触りが特徴。

正宗台南意麺

ヂョンゾンタイナンイーミィエン

中華民国立法院の裏手に位置する看板のない麺店。営業時間は11時から14時の3時間のみ。混雑するので、開店と同時に訪れたい。

📍台北市中正區鎮江街7之1號　🕒月曜日～金曜日11:00-14:00 ㊡土曜日、日曜日

林家乾麺

リンジャーガンミィエン

MRT中正紀念堂駅から徒歩10分と少々遠いけれど、麺好きならぜひ訪れたい。ケースに入った小皿料理もおいしい。お昼は行列必至。

📍台北市泉州街11號　🕒火曜日～金曜日06:00-14:00、16:30-19:30、土曜日、日曜日6:00-14:00　㊡月曜日

古城古早麺

グーチォングーザオミィエン

看板メニューの古早麺はもちろん、おかずも定食もどれもおいしい。特に無刺鵝肉（ガチョウの胸肉）はマストイート。

📍台北市松山區市民大道四段55號　🕒月曜日～金曜日11:30-14:30、17:00-21:00、土曜日～日曜日11:30-21:00 ㊡無休

お店の場所はP.121からのQRコードをご参照ください。

コンプリートしたいルーローハン色々

魯肉飯《ルーローハン》というと「豚バラ肉を五香粉と共に甘辛く煮込んだものをごはんにかける」というのが一般的な認識だと思いますが、本場台湾にはもっとたくさんのバリエーションがあります。ここで少し覗いてみましょう。

A

魯肉飯（小） 25元

シェフたちの心を掴み続ける 名物魯肉飯

トロトロの甘辛魯肉に、程よく煮込んだ酸菜(カラシナ類のお漬物)の甘酸っぱさが絶妙。市場に買い出しに来る料理人も常連に。

B

魯肉飯（小） 30元

ごはんと一体化する ひき肉系魯肉飯

細かい肉の魯肉飯を、北部では肉燥飯と呼びます。お茶漬け感覚で食べられる。

C

魯肉飯（腿庫） 70元

ゴロッと食べ応えあり。南部式魯肉飯

南部では煮た塊肉をのせたものを魯肉飯と呼びます。肉の力強い旨みが魅力。

C

咕嚕咕嚕小吃店

グルグルシャオチーディエン

老舗デパート、欣欣百貨の裏手で30年以上営業。お昼時は近所のサラリーマンが行列を作る。店内には日本語メニューもあり。

台北市中山區林森北路261-4號　月曜日～金曜日10:00-20:30　休 土曜日、日曜日

B

滿庭香魯肉飯

マンティンシャンルーロウファン

魯肉飯だけでなく、魯雞腿(鶏もも肉の醤油煮)や魯白菜(白菜の煮込み) など煮物系がとくにおすすめ。1958年創立の老舗。

台北市大同區雙連街23號　月曜日～土曜日11:00-20:30　休 日曜日

A

現做赤肉焿 魯肉飯

シエンズオチーロウゲンルーロウファン

いつ行っても空席がほぼない濱江場外市場の名店。茹で青菜にもたっぷり魯肉をかけてくれる。豚のとろみスープ、赤肉焿（p15）とも相性良し。

台北市中山區民族東路410巷11號1樓　火曜日～日曜日7:00-13:00　休 月曜日

蚵仔魯肉飯　95元

D

意外なほど相性バッチリ。
牡蠣入り魯肉撥

澎湖名物の牡蠣入り魯肉飯。ミルキーな牡蠣と柔らかく煮込まれた魯肉がよく合う。東石産の新鮮な牡蠣を使用。

肉無しなのにジューシー！
ベジ系魯肉飯

人口の13%がベジタリアンである台湾では肉無し魯肉飯も一般的。小さく切ったグルテンミートからスパイス香るタレが溢れ出す。

招牌飯　50元

E

素魯飯　30元

F

台湾の名物ごはん２品を
いっぺんに味わう魯鶏飯

まろやかな魯肉に、さっぱりした鶏胸肉の旨みが加わり、味わい豊かにランクアップ。酸菜の香りと食感もアクセントに。

F

冠鼎雞肉飯
グァンディンジーロウファン

飲食店が立ち並ぶ通りの中でも特に人気。麺類やモツ関連、何を頼んでもハズレなし。下水湯（鶏モツのスープ）はぜひ頼みたい一品。

📍台北市中山區錦州街252號 ⓛ月曜日～金曜日10:30-20:00　㊡土曜日、日曜日

E

隨緣素食
スイユエンスーシー

夜市で食べられるベジタリアン料理のお店。素肉飯だけでなく、麺もスープも、小皿料理も美味。豆腐や湯葉を使った料理の幅が広い。

📍台北市大同區平陽街44號 ⓛ月曜日～木曜日15:30-22:00 金曜日～日曜日15:30-23:00 ㊡無休

D

滿塘台南虱目魚
マンタンタイナンシームーユー

台南産のサバヒー（脂の乗った白身魚）料理を中心に、海鮮を使った台湾料理を提供するお店。パリパリの羽付き蛤仔煎もおすすめ！

📍台北市萬華區昆明街123號　ⓛ11:00-15:00、16:00-21:30　㊡無休

お店の場所はP.121からのQRコードをご参照ください。

お米がおいしく食べられる 雞肉飯と定番ごはん

台湾の主食は、日本と同じジャポニカ米。さらに味付けも醤油や砂糖など馴染み深いものばかり。日本人の口に合うのも頷けます。ここでは、魯肉飯と並ぶ台湾米料理の代表「雞肉飯」と、その他の定番ごはんを紹介します。

Ⓐ

雞肉飯　45元

さっぱり胸肉に エシャロット鶏油がよく絡む

裂いた胸肉をのせ、タレと香ばしい鶏油をかけたごはん。目玉焼きのせも◎。

七面鳥を使った伝統雞肉飯を台北で

嘉義の伝統的な七面鳥雞肉飯。肉のジューシーさを味わって。

Ⓒ

火雞肉飯（小）　35元

Ⓑ

雞肉飯（綜合）　100元

これも雞肉飯！ 鶏をまるごと味わう定番定食

ぶつ切りの鶏をのせたごはんも雞肉飯。旨みが凝縮されて食べ応えあり。

嘉義第一名火雞肉飯南昌店

ジャーイーディーイーミンジーロウファンディエンナンチャンディエン

台北では数少ない七面鳥の雞肉飯が食べられるお店。柔らかくてジューシーな七面鳥肉の盛り合わせ、七面鳥の魯肉飯もおすすめ。

📍台北市中正區南昌路一段72號　🕒11:00-22:00　㊡なし

凱哥放山雞便當

カイグーファンシャンジービエンダン

地鶏特有の旨みや歯応えを感じるお弁当が看板メニュー。定食としてイートインも可能。鶏の旨みが染み出したスープも美味。

📍台北市大同區重慶北路一段57號　🕒月曜日～土曜日11:00-18:30（土曜日11:00-17:00）　㊡日曜日

梁記嘉義雞肉飯

リャンジージャーイージーロウファン

台北で雞肉飯といえばここ。雞肉飯は以外にも魯肉飯にも定評あり。スープやおかずのクオリティも高い！茄子の炒めものは必食！

📍台北市中山區松江路90巷19號　🕒月曜日～金曜日10:00-14:30、16:30-20:00　㊡土曜日、日曜日

蜜汁烤雞腿便當　135元

お店でも家庭でも定番、鶏もも肉弁当

E

揚げたものも煮たものも焼いたものもある雞腿便當。甘辛いタレを絡めてじっくり焼き上げるタイプが近年人気。

排骨飯　140元

ごはんに合う、台湾版スパイシーとんかつ

五香粉が香るジューシーな揚げ豚ロースは、黒胡椒がアクセント。台湾のお弁当、定食の定番。

F

控肉飯　110元

口の中でとろける台湾版角煮ごはん

甘辛い醤油味の中に、程よくスパイスが香り、いくらでも食べられそう。何よりこの黒さが食欲をそそります。

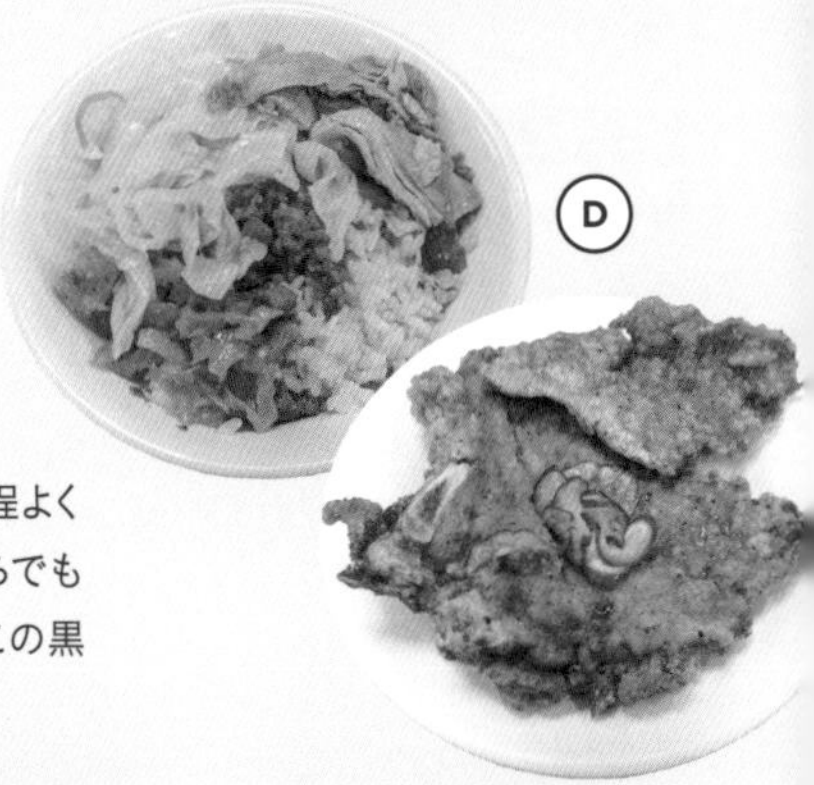

D

一甲子餐飲

イージャーズツァンイン

ビブグルマンに3年連続で選ばれた名店。地元民のほか、韓国人観光客にも人気。控肉飯の煮崩れ部分を集めた控碎肉も持ち帰う人も多い。

📍台北市萬華區康定路79號
🕒月曜日〜土曜日9:00-19:00
㊡日曜日

金窗駅讚味飯

ジンチュアンザンザンウェイファン

後站と呼ばれる台北駅の裏手エリアで営業する地元民に人気のお弁当屋さん。何を食べてもおいしいので夕方前に品切れになることも。

📍台北市大同區華陰街42之7號　🕒月曜日〜金曜日10:30-19:00　㊡水曜日、土曜日、日曜日

金園排骨萬年店

ジンユェンパイグーワンニェンディエン

「青春のシンボル」とも呼ばれる商業ビル「萬年商業大樓」の地下で営業。分厚くジューシーな排骨のほか、フライドチキンも人気。

📍台北市萬華區西寧南路70號B1 (萬年大樓)　🕒月曜日〜日曜日11:00-21:00　金曜日〜土曜日11:00-21:30　㊡無休

お店の場所はP.121からのQRコードをご参照ください。

目からうろこの調理法
餅米&米粉料理

お米の国、台湾は日本以上に米料理のバリエーションが豊富。さらに、料理によって、餅米や米粉の種類を使い分けます。お米のポテンシャルを最大限に引き出した、台湾米料理の数々を堪能してみてください。

Ⓐ

1台斤（600g） 130元

並んで食べる価値のある台湾おこわ

男の子が生まれた時や、お祝いごとがあった時に食べることが多い台湾版おこわが油飯。乾物の香ばしい香りと、醤油味の具材が味の決め手。

意外と食べやすい！豚の血で固めたお餅

豚の血にもち米を加えて蒸した米血糕。一瞬身構えてしまうけど、クセがなく食べやすい。甘辛いタレが絶品！

Ⓑ

米血糕 45元

Ⓑ

何を食べてもおいしいので、駅からの距離も苦にならない。一食堂でありながらビールも飲めるのがうれしい。擔仔麵も定番。

古城古早麵

グーチォングーザオミィエン

📍台北市松山區市民大道四段55號 🕒月曜日〜金曜日11:30–14:30、17:00–21:00、土曜日〜日曜日11:30-21:00 ㊡無休

ⒺⒶ

迪化街の永楽市場で営業する油飯の店。油飯といったらここは絶対外せません。子どもの誕生時やイベント用にも注文が殺到。Ⓔの芋粿も必食！

林合發油飯店

リンフェァファーヨウファンディエン

📍台北市大同區迪化街一段21號 🕒火曜日〜日曜日7:30-12:00 ㊡月曜日

D

乾米苔目（小）　35元

こだわりの米粉で食感◎何にでも合う万能麺

米粉と水を混ぜて専用の絞り袋などに入れ、沸騰したお湯の中に搾り出して形成する麺。スイーツにもなる。

古早味碗粿　40元

お母さんの味がする台南の米粉茶碗蒸し

卵や椎茸を入れた茶碗に、米粉の液体を流し入れて蒸す碗粿は、フォークで食べるのが定番。自家製タレにも感動。

C

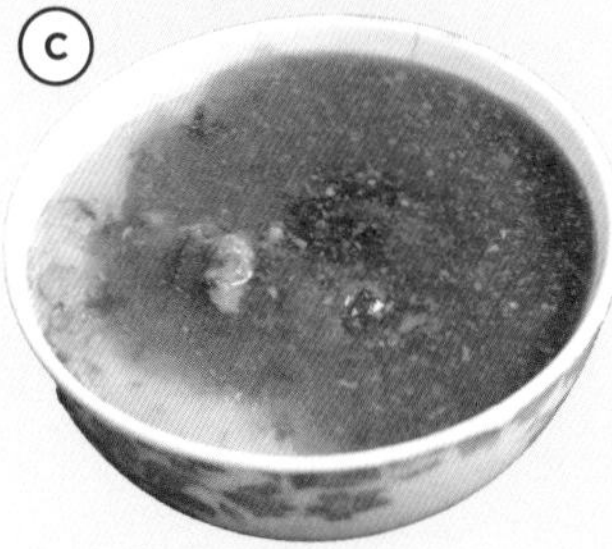

E

芋粿　25元

香ばしい乾物入りのホクホクのタロ芋餅

エシャロットや乾物と炒め味付けしたタロ芋に米粉を混ぜて形成し、台蒸したものが芋頭粿。ぽってり感が可愛い。

朝6時半から営業する米苔目のお店。板條（米粉を使った幅広麺）や、蒸しホルモン、茹で大根もおすすめ。朝ごはんにぴったり！

柴寮仔米苔目

チャイリャオザイミータイムー

台北市大同區寧夏路78號　月曜日〜土曜日6:30-17:30　㊡日曜日

台南出身のオーナーが、お母さんの味を受けついだ本格碗粿。プレーン碗粿の他にサバヒーを使ったものも。唐辛子ソースまで自家製。

丁姐碗粿

ディンジェワーグゥイ

台北市大同區延平北路二段272巷4號　火曜日〜日曜日8:00-14:00　㊡月曜日

　お店の場所はP.121からのQRコードをご参照ください。

圧巻の品数！自助餐（台湾式ビュッフェ）

台湾で一般的な自助餐

日本にはなかなかないスタイルのお店が自助餐。自分の好きなものを選んで食べる、いわゆるビュッフェですが、選んだものだけをお会計するシステムで経済的。様々な台湾料理を一度に楽しめる上、野菜も豊富なのがうれしい。

台湾の温かい家庭料理がずらっと並ぶ

たっぷりおかずを頼んでも100元台とリーズナブル。毎日通っても飽きない品揃えで、ファンが続出。向かいの中学校の、食べ盛りの中学生の胃袋も支える。

見ているだけで楽しくなる、品数豊富なビュッフェ。絶妙な塩加減のおかずはどれも絶品。お昼時には近隣のサラリーマンいっぱいに。

中山自助餐

チョオンシャンズージューツァン

台北市中山區中山北路一段110-7號　月曜日～金曜日11:00-14:00　休 土曜日、日曜日

肉に魚に、野菜に豆製品に、とメニューが豊富。どれにしようか迷ったら、明るく親切なオーナーに相談してみて。

東海自助餐

ドンハイズーズーツァン

台北市松山區延壽街414號　月曜日～金曜日10:00-14:00 16:00-19:00　休 土曜日

市場裏手の超ローカルビュッフェ

中山市場の裏手で営業する地元民でいっぱいの自助餐。穴ぐら風の外観で、入るのに少し勇気がいるけれど、入ってみればそこは美食パラダイス！

これで迷わないあああの
自助餐の基本おかず

メイン ディッシュ

紅燒肉

豚バラ肉を、調味料を加えた紅麹に漬け込んで揚げたもの。ごはんによく合う。

宮保雞丁

鶏肉を調味料に漬け込んで、唐辛子やピーナッツと炒めた料理。中華の定番。

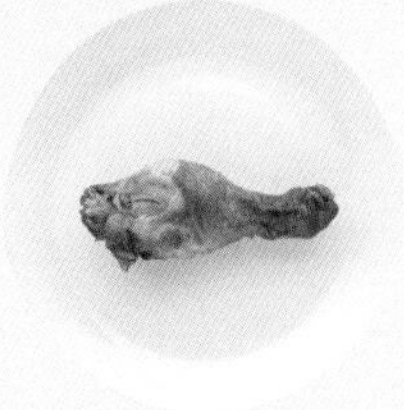

清蒸鱈魚

タレをかけて蒸したタラ。さっぱりしたものを食べたい時はコレ。

魯雞腿

スパイスを加えた醤油だれで煮込んだ骨付き鶏もも肉。お弁当の定番でもある。

副菜

豆棗

板状の大豆肉を細く切り、麦芽糖などで味付け。

清炒芹菜

台湾セロリの炒めもの。爽やかな香りが魅力。

三色豆

ミックスベジタブル炒め。どの自助餐にもある。

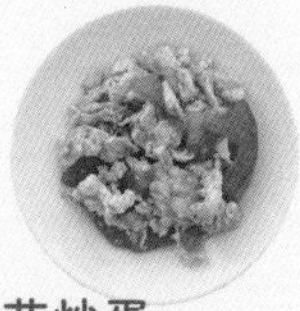

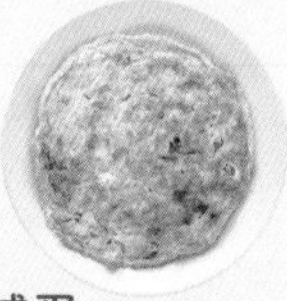

清炒絲瓜

程よい苦味がさわやかなヘチマと蛤の炒めもの。

番茄炒蛋

トマトと卵の炒めもの。ケチャップが決め手。

菜脯蛋

塩漬けにして干した細切れ大根を入れた卵焼き。

お店の場所はP.121からのQRコードをご参照ください。

独自の食文化を味わい切る
台湾小吃の世界

台湾では、おやつ感覚で食べる軽食や、庶民的な料理のことを小吃（シャオチー）と呼びます。この小吃の種類がとにかく豊富なのが、台湾の食文化の特徴のひとつ。代表的なものをここでいくつかご紹介します。

總合麵線（小）65元

具が大きい！
トロトロ系カツオだし素麺

だしが効いたスープに、茹でて乾燥させた素麺を入れて煮込む料理が麵線。具材の豚モツや牡蠣が大きくてプリプリ！ パクチーがアクセントに。

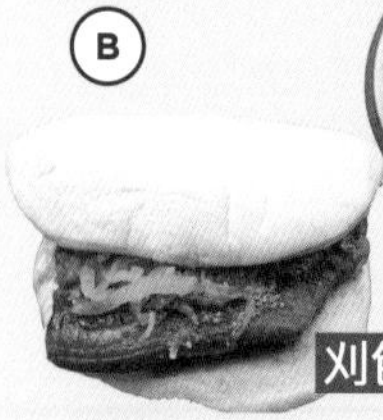

刈包　50元

ふわふわ蒸しバンズの
台湾版角煮バーガー

丁寧に煮込まれた控肉飯用のお肉を饅頭（p13）で挟んだ刈包。ピーナッツ粉とパクチーがアクセント。

油炸肉圓　50元

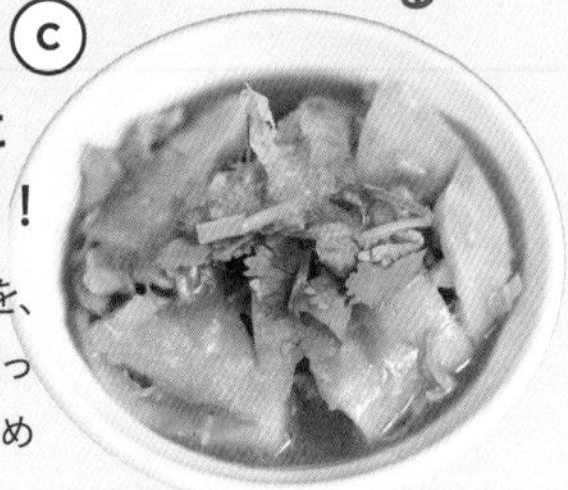

プルプルの皮の中に
絶品具材がたっぷり！

調理された筍や豚肉を、さつまいも粉の生地で覆って蒸したもの。タレも含め全てが完璧！

川業肉圓
チュアンイエロウユエン

老舗が多い龍山寺付近でも、特に歴史の長い店。改装された心地よい空間で伝統料理を味わえる。

台北市萬華區廣州街165號1樓　10:00-21:00　㊡無休

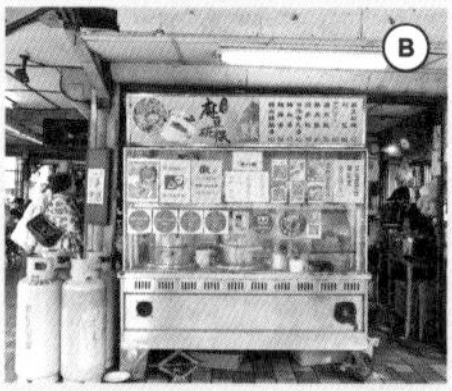

一甲子餐飲
イージャーズツァンイン

雨の日でも行列が絶えない人気店。名物の控肉飯（p23）はもちろん、魯肉飯もハイレベル。

台北市萬華區康定路79號
月曜日～土曜日9:00-19:00
㊡日曜日

麵線傳奇
ミィエンシィエンチュアンチー

開店と同時に行列ができる麵線の店。並ぶけれどテイクアウトが多いので、それほど待たずに食べられる。

台北市中山區天祥路39號
月曜日～土曜日8:00-17:00
㊡日曜日

四神綜合湯　75元

E

美容にも身体にも良い薬膳スープ

4種の漢方（ハスの実、ヤムイモ、ケツジツ、マツホド）と豚モツのスープ。胃腸強化やむくみ解消にも◎。

蔥油餅　45元

香ばしさがたまらないネギ入り揚げ焼きパイ

たっぷりのネギを、ラードと共に生地に練り込み、揚げ焼きにした小吃。甘辛いタレがネギの香りを引き立てる。

D

F

分厚い特大お焼きの中に具がたっぷり！

韓国のホットクによく似た、小麦の生地で具材を包んで揚げ焼きにした軽食。ジューシーな大根入りが定番。

蘿蔔絲餅　45元

阿源煎餅

アーユェンジエンビィン

水色の横断幕に大きく「煎餅」と書かれているけれど、せんべいではなく、お焼きに近い。他店の1.5倍以上の大きさ。

台北市中山區四平街31號　月曜日～土曜日10:00-17:00　㊡日曜日

惠安四神湯

ホォイアンスーシェンタン

他では見かけないほど、具材たっぷりの四神湯を出してくれるお店。味も香りも他店とは一味違う。

台北市萬華區內江街142號　月曜日～金曜日6:00-17:00、土曜日6:00~17:00　㊡日曜日

黄福龍脆皮蔥油

ファンフーロンツイピーツォンヨウ

地元民がバイクで買いに来る小さな屋台。焼きたての熱々を頬張りながら、付近の問屋街を散策するのもオツ。

台北市大同區太原路23巷　火曜日～日曜日12:00-19:30　㊡月曜日

お店の場所はP.121からのQRコードをご参照ください。

伝統と流行をおさえる 夜市グルメ

台湾グルメといえば、夜市で食べる屋台料理も外せません。夜市には、昔ながらの小吃（軽食）はもちろん、流行フードや面白料理もたくさん。ここでは、食べておいしい、見て楽しい、そんな夜市グルメを紹介します。

定番系

蚵仔煎　70元

吉鶏蛋蚵仔煎（通化夜市）

ジージーダンオーアージェン

牡蠣と青菜を炒めて卵を落とし、水溶き澱粉を回しかけて焼く夜市ならではの軽食。タレが味の鍵決め手。

臭豆腐　70元

瑪吉臭豆腐（延三夜市）

マージーチョウドウフー

青菜の発酵水に豆腐を入れ、さらに発酵させてから揚げたもの。20m先まで臭う。

木瓜牛奶　60元

童年木瓜牛奶（寧夏夜市）

るンネンムーグアニウナイ

パパイヤと牛乳を合わせて攪拌した酵素たっぷりドリンク。まろやかな口当たり。

鹽水鶏　100元~

好雞匯鹽水鶏（延三店）

ハオジーフイイェンシュイジー

茹で鶏を切り分け、野菜や練り物などと一緒に調味料で和えたサラダ感覚の軽食。

地瓜球　7個20元

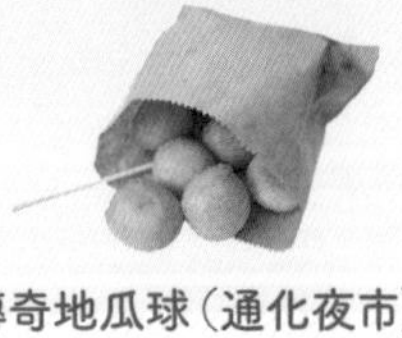

傳奇地瓜球（通化夜市）

チャンジーディーグアチョウ

蒸したサツマイモに粉を加え、ボール状にして揚げるお菓子。サクもちの食感。

鹹酥鶏　60元

肥豬的攤（樂華夜市）

フェイジューダタン

鶏肉に発酵調味料などを揉み込み、サツマイモ粉の衣をつけて揚げた台湾から揚げ。

烤玉米　60元~

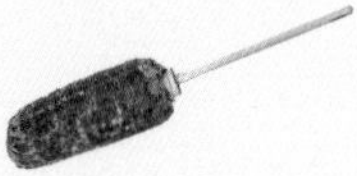

玉米家烤玉米（南機場夜市）

ユーミージャーカオユーミー

沙茶醬とオイスターソース風味の台湾焼きとうもろこし。濃厚でスパイシー。

營養三明治　60元

天盛舗營養三明治（廟口夜市）

テンシェンプーインヤンサンミンジー

ハムや野菜を挟んだ揚げパンサンドイッチ。甘いマヨネーズがよく合う。

90元

冰哨酪梨牛奶（寧夏夜市）

ビンシャオルオリーニウナイ

アボカドミルクに丸ごとプリンを入れて、ガーっとミックス。デザート感覚で飲める。

進化系

150元

爆漿脆皮魷魚（寧夏夜市）

バオジャンツイピーヨウユー

イカフライの中に生野菜がたっぷり。大根のみずみずしさがポイント。ソースを選べる。

85元

官記純檸檬泰式涼拌木瓜

ガンジーチュンニンモンムーグ

タイのパパイヤサラダ。外国料理も夜市で人気。台湾はタイ、ベトナム料理もおいしい。

50元

開心城地瓜球

カイシンチャンデューグアチョウ

カラフル地瓜球。色は全て野菜や果物由来の天然色素。見た目だけでなく味もいい。

お店の場所はP.121からのQRコードをご参照ください。

ひとりでも食べられる台湾火鍋

台湾では、辛くないものも含めて、鍋はすべて火鍋と呼ばれます。台湾の人は鍋を食べるのが大好きなので、火鍋店は1年中盛況。寒い日はもちろん、暑い夏の日に、涼しい店内で鍋をつくのもなかなか良いものです。

沙朗牛肉鍋（石頭火鍋）310元

ハマグリが生きてる！ 鮮度抜群の定番鍋

最初に肉の半分をゴマ油で炒め、風味を出してからスープを注ぎ、しゃぶしゃぶにして食べるのが石頭火鍋。タレに入れる沙茶醤が味の決め手。

A

羊やヤギの鍋をひとりで食べられるところは他にあまりない。自家製の鍋のタレや麺も絶品！身体の喜ぶ声が聞こえるよう。

永吉樂 羊仔湯屋

ヨンジーラーヤンザイタンウー

台北市大同區昌吉街117號 月曜日～日曜日12:00-15:00、17:00-21:00 休水曜日、土曜日

台湾の定番鍋、石頭火鍋がひとり鍋で楽しめる。無料提供のミルクティーにもファンが。スープが少なくなると継ぎ足してもらえる。

旺角迷你石頭火鍋

ワンジャオミーニーシートォウフオグゥオ

台北市萬華區中華路一段74號 11:30-00:00
休無休

仙草羊肉鍋 150元

身体をいたわる ラム肉美容鍋

ヘルシーなラム肉と漢方を使った鍋。バジルが香る仙草ベースのスープに、紅棗やクコの実、白木耳など美肌になれるものがたっぷり。

B

火鍋でよく見る
名脇役アレコレ

炸豆皮

揚げ湯葉。地味キャラだけど根強い人気。長く煮ても崩れず、息が長い。

貢丸

急冷してタンパク質を収縮させたハードな肉団子。噛めば噛むほど味が出る。

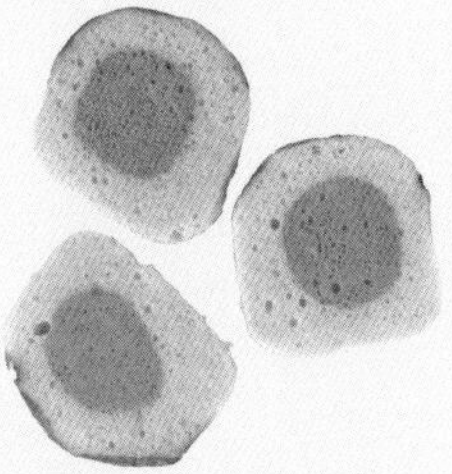

魚卵巻

鍋に彩りを添える紅一点。プチプチの魚卵入りで、食感でも楽しませる。

蛋餃

薄焼き卵に挽肉餡をのせて閉じて焼き上げるミニオムレツ。子どもウケ要員。

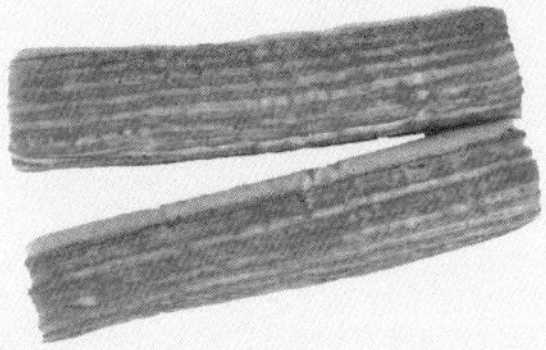

蟹肉棒

カニカマのようだけど、加熱専用なので煮るとフワトロ。

豬血糕

豚の生血にもち米を加えて蒸しあげる。ホラー系だが、意外と女性ウケ良し。

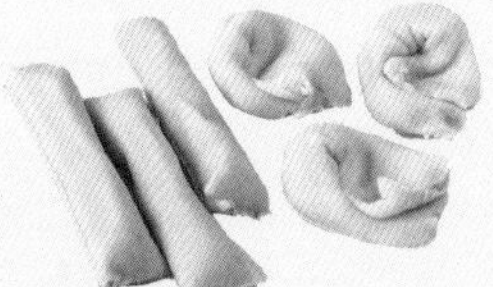

魚餃、燕餃

魚の皮で包んだ餃子（右）と豚の皮で包んだ餃子（左）。セットが基本。

魚豆腐

揚げ豆腐になりきっているけれど、実は魚のすり身でできている。

お店の場所はP.121からのQRコードをご参照ください。

リーズナブルに飲んで食べるなら
台湾式居酒屋「熱炒」

旅の途中でカンパイしたいと思ったら、目指すは「熱炒」。台湾式の居酒屋、ビアホールといえるお店ですが、小さな子どもを連れてきても違和感はなく、どんな年代、シーンでもしっかり飲んで、食べて、楽しめる場所です。

塔香蛤仔　150元

貝とバジルは定番！ハマグリを合わせて

九層塔炒蛤蜊とも呼ばれる熱炒の定番料理。アサリやハマグリをバジルと合わせたピリ辛の炒めもの。

熱炒が多い地域にあって、その中でも特に人気のお店。海鮮から肉類、野菜までメニュー豊富。ビールだけでなく、週末はワインも登場！

紅翻天生猛海鮮
ホンファンティエンションモンハイシエン

台北市中山區吉林路239號　17:00-1:30
休 無休

通化夜市に近く、学生にも人気。台湾アサリを扱う熱炒は減っているけれど、ここでは食べられる。お店で飼っているリクガメも可愛い。

老朋友小酌熱炒
ラオポンヨウシャオズオルーチャオ

台北市大安區安和路2段36號　17:00-0:00
休 無休

誰もがハマる！水草の炒め物

クセがなく食べやすい水草「水蓮（タイワンガガブタ）」。炒めるとシャキシャキ感が際立つ。

清炒水蓮 100元
※季節によりないことも

熱炒といえばこれ。牡蠣のトウチ炒め煮

牡蠣をトウチと一緒に炒めて軽く煮た料理。豆豉鮮蚵ともいう。お酒にもごはんにも合う！

蔭司蚵 180元

紹興酒とも相性抜群！
鶏のバジル炒め煮

お酒、砂糖、醤油を各一杯ずつ加えて調味したことが名前の由来。生姜とゴマ油の香りも食欲をそそる。

三杯雞　200元

薑絲大腸　150元

プリプリホルモンにたっぷりの生姜が絡む

千切り生姜とホルモンの炒めもの。お酢の酸味もきいて、ホルモンがさっぱりと食べられる。ビールによく合う！

ビールのお供は台湾版カキフライで決まり

台湾産の小ぶりな牡蠣は身がつまって濃厚。サツマイモ粉のサクサク衣に、スパイシーな白胡椒味がマッチ。

蚵仔酥　180元

鳳梨蝦球　150元

大人も子どもも夢中になる台湾版エビマヨ

エビマヨにパイナップルを合わせた料理。台湾特有の甘いマヨネーズがよく合う。子どもウケは絶対。大人もハマる。

鮮定味生猛海鮮　シェンディンウェイションモンハイシエン

台北市長安東路一段67號

17:00-1:30　休 無休

地元民が会社の飲み会などでもよく使うお店。熱炒通り（200mほどの通りに15軒あり）の中でも一際賑わう。持ち帰り客も列を成す。

 お店の場所はP.121からのQRコードをご参照ください。

法則を知ってさらにおいしく

魅惑の台湾デザート

豆花やかき氷などの台湾スイーツは、甘さ控えめでさっぱりしているので、1日に何回でも食べたくなるもの。でも時間とお腹の空き容量には限りがあります。ここでは、後悔せずに味わい切る、私なりのデザートの法則をご紹介します。

A

冰豆花　50元

やわらかピーナッツのシンプル豆乳プリン

濃厚なピーナッツをトッピングするなら単独をおすすめしたい。他のトッピングと混ぜると、どうしてもピーナッツの香りが勝ってしまう印象。素朴な味を楽しんで。

B

豆花　50元

つるとろ豆花を完璧なバランスで食す

豆花に複数の素材をトッピングするなら、ひとつはモチモチ系を入れたいところ。豆花がつるり、豆芋系がホクホク、モチ系の弾力が三位一体に。

B

邱太太甜品坊

チュータイタイティエンピンファン

つるりと柔らかい豆花に、シロップの甘さが絶妙。トッピングの豆類も良いあんばいに煮えていて、モチ系の弾力もちょうどいい。

台北市中山區龍江路382號
12:00-22:00
休 無休

A

江記東門豆花

ジャンジードンメンドウファー

ピーナッツだけしかトッピングがない豆花屋さん。だが、それがいい。シロップまでおいしく飲めてしまう。東門市場の奥で営業。

台北市中正區金山南路一段142巷5號 火曜日、水曜日、金曜日～日曜日7:30-15:00
休 月曜日、木曜日

花生玉米加圓冰 105元

甘じょっぱさが癖になる。コーンのかき氷

豆や果物などのかき氷を食べるなら、ベースの氷はシンプルなものを。ミルク氷だと甘さが素材の邪魔をしがち。マンゴーかき氷の場合も然り。

仙草凍　40元

本物の香りを味わう薬草ゼリー

仙草という薬草を煮出して作ったゼリーは、体から熱を逃してくれるので夏に最適。冬は暖かくお汁粉で食べたい。

愛玉冰 40元

「愛玉は飲み物」台湾原産天然ゼリーがつるん

愛玉はトッピングなどでも使われるけれど、その多くが動物由来のゼラチンで作られているという話も。愛玉の種から作った本物はやはり舌触りとのど越しが違う。

萬華林建發仙草冰燒仙草

ワンファーリンジェンファーシエンツァオピンシャオシエンツァオ

創業60年の老舗。トッピングなしの仙草ゼリーはハーブのスッキリ感が際立つ。仙草の専門店ならではの香りを楽しんでみて。

台北市萬華區艋舺大道138號 10:00-19:00　休 無休

楊記花生玉米冰

ヤンジーファーションユーミービン

素朴なトッピングを意外な方法で食べさせてくれるお店。コーンはもちろん、ペースト状にしたタロイモもめずらしい。1960年創業の老舗。

台北市萬華區漢口街二段38號 11:00-22:00　休 無休

懐念愛玉冰

フォアイニンアイユービン

愛玉子というイチジク属の植物の種を水の中で揉むとゼラチン質が溶け出しゼリーに。昔ながらの作り方で、3代70年以上続く名店。

台北市萬華區廣州街202之1號 15:00-22:30　休 無休

 お店の場所はP.121からのQRコードをご参照ください。

100元以下で味わう ミシュラングルメ

ミシュランビブグルマン選出店が多いのが台湾グルメの魅力です。予約不要の気軽なお店ばかりなので、思い立ったらすぐにでも食べにいけるますね。味だけでなく、環境や衛生面でも安心できます。

鮮肉湯圓60元

肉汁が染みたモチモチ白玉が浮かぶ満足スープ

これはもう、白玉ということばでは片付けられない大きさ。4つ食べればお腹いっぱいに。乾物の旨みを感じる豚骨スープとよく合う。

高麗菜飯 30元
原汁排骨湯 90元

野菜の旨みたっぷりの素朴なごはん&スープ

台湾ではキャベツ炊き込みご飯と骨付き豚肉のスープは定番の組み合わせ。素材の旨みを感じるやさしい味わいに心も癒される。

高麗菜飯原汁排骨湯

ガオリーツアイファンユェンジーパイグータン

夜市入口で営業するオープンエアの食堂。名物の炊き込みご飯、骨付き豚スープの他、小皿料理も絶品。ミシュランビブグルマン常連店。

台北市大同區延平北路三段17巷2號　10:00-20:00　㊡無休

施家鮮肉湯圓

ジージャーシェンロウタンユエン

夜市通りで昼から営業する肉入り白玉を名物とする食堂。家庭用に冷凍白玉をまとめ買いする人も。ここ2年連続ビブグルマンに選出。

台北市大同區延平北路三段58號　11:30-15:00、17:00-22:30　㊡無休

C

麻辣涼麵（小）55元

台北最大の夜市で食べる台湾版冷やし中華

茹で麺に、ニンニクの効いたゴマだれがたっぷり。花椒入りラー油とみずみずしいキュウリがアクセント。味噌汁と合わせるのが台湾流。

筒仔米糕（瘦肉） 40元

D

台南風の可愛いプリン型おこわ

カップに入れて蒸す台南風のおこわ。脂身の少ないロースとコクのある豚バラ肉の2種類があるけれど、結局両方食べてしまうおいしさ。

長燒餅、鹹酥餅、紅豆餅、甜酥餅

各15元

E

ひとつ15元！名前のないお店のこだわりパイ

小麦粉にラードを練り込んで、サクサクに焼き上げたパイの中には、小豆や肉などが。すぐに食べて焼きたての香ばしさを感じて。

無名推車燒餅

ウーミントゥイチャーシャオビン

南機場夜市内で営業する屋台。まだ人が少ない時間に開店。いきなり行列ができる。店名がないながらも、ビブグルマンでは常連。

台北市中正區中華路二段315巷5弄南機場夜市 月曜日～日曜日16:30-19:30 休水曜日

大橋頭老牌筒仔米糕

ダーチャオトウラオパイトンザイミーガオ

おこわにかける甘辛いソースや、大根の唐辛子漬けなど、細部まで抜かりないお店。1973年創業、4年連続未シュランビブグルマンに。

台北市大同區延平北路三段41號 月曜日～日曜日7:00-16:00 休火曜日

好朋友涼麵

ハオポンヨウリャンミィエン

士林夜市の中心に位置するゴマだれ麺のお店。小さな店ながらも、5年連続ビブグルマンに輝く。並ぶが回転は早い。

台北市士林區大南路31號 月曜日～日曜日16:30-23:30 休木曜日

お店の場所はP.121からのQRコードをご参照ください。

地元で人気のコンビニグルメ

店舗間で郵送ができたり、特急電車のチケットが買えたり、何かと重宝する台湾のコンビニ。フード面でも同じく、便利なシステムがたくさんあります。人気のコンビニグルメと合わせてご紹介しましょう。

コンビニ天国台湾のフード事情

世界で2番目にコンビニ密度が高いといわれる台湾では、一人あたりが平均して年間130回もコンビニを利用するそう。その理由は、飲食シーンの充実度に関係するかもしれませんん。

カフェもバーも兼ねる 万能スペース

ほとんどの店舗にイートインスペースが備わっている。

タピオカやフレッシュフルーツジュースも飲める。

店舗によっては生ビールも飲めるセブンイレブン。

ドイツ製法で作られる台湾産ビールも生で。

キャラクターがテーマになった店舗も。

地元で人気の
コンビニ美食

セブンイレブン

原萃東方美人茶　28元

他のお茶が25元なのに対して3元高い28元だけど、この香りなら+5元出しても買う。

ファミリーマート

芭樂檸檬青茶　50元

フルーティーなレモングアバジュース。ドリンクスタンドに迫るフレッシュさ。

セブンイレブン

味味一品 麻辣臭豆腐麵　53元

臭豆腐カップ麺。後入れのレトルト臭豆腐がちゃんと臭い。同シリーズの牛肉麺も◎。

セブンイレブン

林聰明-雞肉飯飯糰　36元

雞肉飯そのもののおいしさはもちろん、パリパリの海苔との相性も抜群。

各コンビニ

フルーツ

フルーツ大国台湾だけあって、コンビニのカットフルーツもクオリティが高い。

各コンビニ

茶葉蛋

紅茶と漢方、醤油の煮汁で、卵に味付け。地元コンビニ「HI life」が本格的。

ファミリーマート

黒橋高粱酒香腸 45元

モロコシから作られたお酒（高粱酒）が入った台湾ソーセージ。ジューシー！

ファミリーマート

蒸蛋湯　45元

台湾スープ茶碗蒸し。だしがきいたやさしい味で、小さい子にも食べやすい。

お店の場所はP.121からのQRコードをご参照ください。

見慣れたチェーン店のまだ見ぬ一皿

歴史的背景からも和食が浸透している台湾には、日本の様々な外食チェーンが進出しています。日本食でありながらも、現地で受け入れられるための工夫が凝らされた料理の数々は、日々の料理のヒントになるかも。

牛丼一筋じゃない牛丼屋の「淡水魚丼」

台湾で一般的な養殖淡水魚、「ティラピア」を使った蒲焼丼。甘辛いタレに、脂の乗った白身、皮弾力のある皮など、鰻丼を彷彿とさせる味わい。

蒲燒鯛魚丼　138元

吉野家といえば「牛丼一筋」。なのに台湾では、茶碗蒸しからワッフルなどのスイーツまで食べられる。

吉野家　東門店

ジーイェジャー　ドンメンディエン

台北市大安區金山南路二段9號

月曜日〜日曜日10:00-22:00　休 無休

日本では提供終了した幻のメニューも

お酒がすすむトリッパの煮込み。柔らかく煮込まれたトリッパに唐辛子の効いたトマトソースがよく合う。ハチミツとチーズのピザもおすすめ。

佛羅倫斯香辣敦牛肚　110元

日本とはメニューが違う台湾サイゼ。量が多く味もいい。実は台湾ビール「金牌」が台北一安く飲める。

サイゼリヤ　薩莉亞 信義ATT店

サーリーヤー　シンイー ATTディエン

台北市信義區松壽路12號4F

月曜日〜日曜日10:00-22:00　休 無休

太麺+トマトは台湾では常識！

真っ赤なトマトスープは濃厚で、うどんによく絡む。ほどよい酸味とさっぱりとした鶏胸肉の相性が良く、最後まで飽きることなく食べられる。

番茄雞肉烏龍麵　149元

台湾向けメニューが多い丸亀製麺。豚骨やタイ風スープのうどんが人気。メニューの2/3に肉がのっている。

丸亀製麺 家楽福重慶店

ワングイジーメン　ジャーラーフーチョンチンディエン

台北市大同區重慶北路二段171號1樓　月曜日〜日曜日11:00-21:30　休 無休

Chapter 2

TAIWAN Sightseeing

台湾観光

楽しく、映える観光スポット

台湾最高！

神様の声に一歩近づく
台湾寺廟

日本では、お寺には仏様を、神社には神様を祀りますが、台湾では、仏様と道教の神様、民間信仰の神様などを、みんな一緒に廟やお寺に祀ることが多いです。台湾の寺廟で、神様のやさしい声を聞いてみましょう。

今、訪れたい台湾寺廟

行天宮
シンティエンゴン

「関羽」が祀られており商売繁盛にご利益があると人気。シンプルで荘厳な造り。環境保護の観点から、お線香、お供えものなどが禁止されている。

台北市中山區民權東路二段109號　4:00-22:00　休 無休

指南宮
ジーナンゴン

台湾道教の総本山で、仏教・道教と融合している。海抜285mと標高が高いので、猫空ロープウェイを使ってアクセスするのがおすすめ。景色も楽しめる。

台北市文山區萬壽路115號　6:00-20:00　休 無休

寺廟を訪れたら、すべての神様に挨拶をして祈願するのが台湾式。

さらに神様の助言がほしいならぜひおみくじを。台湾の人に混ざって真剣にをポエ（P48）投げ続ければ、良いアドバイスがもらえそう。

指南宮

各スポットの場所はP.121からのQRコードをご参照ください。

艋舺青山宮

バンカチンシャンゴン

疫病を鎮めることで有名な青山王を祀る。台北三大祭りの一つ「**艋舺**青山王祭典」が行われる。

台北市萬華區貴陽街二段218號　6:00-22:00　㊡無休

龍山寺

ロンシャンスー

台北最古の寺院で祀っている神様は百以上。寄付で修復代が賄われるなど篤い信仰を集め続ける。

台北市萬華區廣州街211號

大龍峒保安宮

ダーロンドンバオアンゴン

医学の神様「保生大帝」を祀ったお寺。ユネスコの「アジア太平洋文化資産保存賞」を受賞。

台北市大同區哈密街61號

月曜日～日曜日9:00-17:00

㊡指定日　¥無料

思いが届く お参り作法

作法は神様への敬意と労い。右手は不浄とされるため左手を使います。

1

向かって右側の龍門から入る（出るときは左の虎門から）

2

線香に火をつける。線香は左手で、肘から上の位置で持とう

3

寺院内の参拝順序に従い参拝。外に天宮炉があればそこから

4

線香を額の高さで持ち、神様の前で三拝（三回礼）をする

5

自己紹介（氏名・生年月日・住所）と相談や願い事を伝える

6

再度三拝し線香を炉に挿す（左手で）。合掌して三拝し終了

運命を引き寄せる 台湾式おみくじ

三日月型の筊（ポエ）と呼ばれる木片を投げてお告げをもらいます。

1

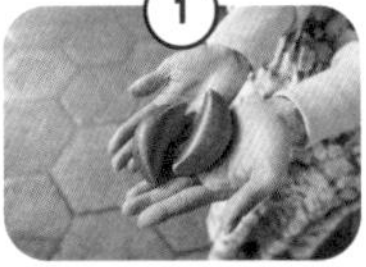

筊を2つ手に取り、神様に自己紹介・悩み・質問を話す

2

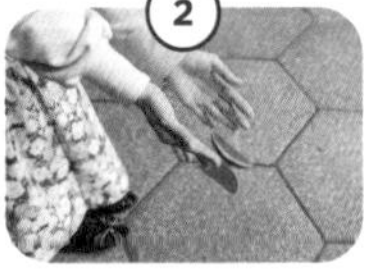

おみくじを引いてよいか神様に問い、筊を軽く投げる

3

表裏が3回連続で出たらYesの印。表表や裏裏はやり直し

4

おみくじの棒を1本引き、その番号でよいか筊を投げて問う

5

表裏が3回連続で出たらOK、その番号のおみくじをもらう

6

解説所があれば内容を解説してもらえる。時々日本語対応も

台湾の
神様・仏様図鑑

移民が多い台湾では、多くの信仰があり、祀られる神様も寺廟により様々。その中でも、人々に愛されている代表的な神様を紹介します。

保生大帝

医学を司る神。道公として知られ、健康祈願でご利益があると有名。

土地公

商人や農家に特に信仰されている土地の守り神。最も生活に近い存在。

玄天上帝

北方を司る獣神・玄武が元になり転じた神。媽祖と並ぶ海神の代表格。

太子爺

地域の守り神「五営兵将」を司る。強大な魔力を持ち邪神としても有名。

月下老人

婚姻を司る神。手には婚姻簿と赤い糸を持ち、人と人の縁を結ぶ。

媽祖

航海の安全を守る道教の女神。島国である台湾で最も親しまれている。

関聖帝君

商売繁盛と富の繁栄をもたらす神。家計簿を発明したという伝説も。

觀世音菩薩

日本人にも親しみのある観音さま。仏教の慈悲の具現化といわれる。

市場から始める台湾の朝

三度の飯より食べることが好きな私が、一番心躍る場所、それが市場です。日本にはない食材や料理、市場ならではの朝ごはんはもちろん、ものすごいスピードでパイナップルの皮を剥く果物屋のおじちゃんの神技とか、とにかく見どころがたくさんあります。

未知の食材と出会える市場

南門市場
ナンメンシーチャアン

大陸から伝わった食材が多い市場。生鮮以外にも、各地の粽やお菓子など珍しいものがたくさんあるので見ていて飽きない。2023年10月にリニューアルし、まるでデパートのような空間に。

📍台北市中正區羅斯福路一段8號 🕒火曜日～日曜日7:00-19:00 ㊡月曜日

濱江市場
ビンジャアンシーチャアン

野菜や果物の卸売市場と場外市場に分かれるので、一般客は活気あふれる場外市場へ。新鮮な野菜や果物、上質な肉や魚が所狭しと並ぶ。11時半には店じまいをはじめるので注意。

📍台北市中山區民族東路336號 🕒火曜日～日曜日6:00-12:00 ㊡月曜日

台湾式の単位

市場でよく使う台湾式の単位をご紹介します。「1台斤（斤）=600g」「1公斤 = 1kg」「1份=1人分」「1包=1袋」「1盆=1皿」「1粒、1顆=1個」など。覚えておくとさらに楽しめます。

濱江市場

各スポットの場所はP.121からのQRコードをご参照ください。

太平市場
タイピンシーチャアン

観光客がほとんどいない市場。生鮮食品を売る路面店が多く、地元民で賑わう。迪化街にも近い。

台北市大同區延平北路二段255號247 巷　火曜日～日曜日6:00-13:00　㊡月曜日

新埔市場
シンプーシーチャアン

MRT新埔駅1番出口目の前。質の良い食材が多く、値段も安い。肉と魚以外の店は月曜日も営業。

新北市板橋區文化路一段435巷24號　6:00-14:00　㊡無休

東門市場
ドンメンシーチャアン

日本統治時代に台湾総督府が日本人向けに開設。交通の便が良い上、食材もお手頃。美食も多い。

台北市中正區信義路二段81號　火曜日～日曜日7:00-14:00　㊡月曜日

知れば知るほどハマる

市場食材

市場見学の醍醐味といえば珍しい食材との出会い。実際に調理するかは別として、食材を知れば、食文化の一端に触れることができます。ここでは、2024年3月のある日、私が市場に買いものに出た時に目に留まったものをご紹介します。

雞血糕《ジーシエガオ》

餅米を鶏の血に浸して蒸したもの。通常は豚の血。鶏の血はけっこうレア。

烏骨雞《ウーグージー》

ウコッケイは地肌まで真っ黒なのが特徴。滋養強壮に◎。意外にも高くない。

仙桃《シェンタオ》

学名はカニステル。芋のような食感で、熟すとチーズケーキに近い味わいに。

竹薑《ジュージャン》

台湾原産の生姜。香りと辛味が強く、鶏のゴマ油煮や羊の鍋、薬膳料理に最適。

皮刀魚《ピーダオユー》

和名はギンカガミ。たまに市場に出回る安価な魚。この見た目で案外肉が多い。

*

豆腐

ドウフー

ビーガンが多い台湾では、豆腐の種類が豊富。グルテン製品も一緒に扱う。

火鍋料

フオーグオーリャオ

鍋やスープに欠かせない練りものを専門に扱うお店。見た目も可愛く味も良い。

調味料

ティアオウェイリャオ

美しい並びにプロ意識を感じる南門市場の調味料店。地方の調味料も手に入る。

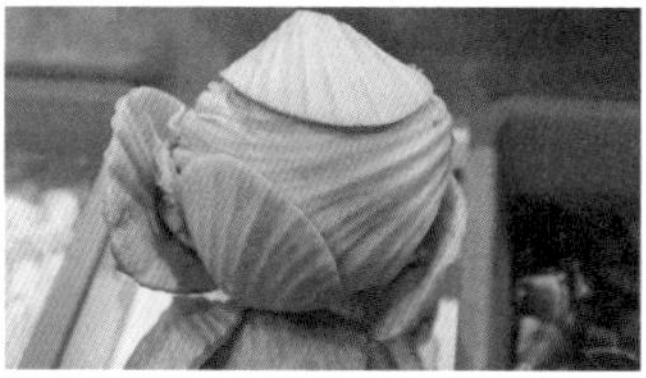

芥菜仁

ジエツァイレン

カラシナの仲間の葉をきれいにカットしたもの。春節にはなくてはならない存在。

山蘇

シャンスー

観葉植物でもあるオオタニワタリ。クセがなく、パリッとした食感で食べやすい。

淡菜乾

ダンツァイガン

ムール貝の干物。お高め食材だけど、スープも炒めものもなんでもおいしくする。

土芒果

トゥーマンゴウ

3月には売り出される最も伝統的なマンゴー。街路種としても植えられる。

秘境を味わう三貂嶺

台湾で唯一、車では辿り着けない駅といわれているのが三貂嶺駅。駅と道路の間に川があるので、その付近には車で侵入することができません。台北から電車でわずか1時間。話題の秘境にトリップしてみましょう。

とっておきの秘境スポット

平溪線《ピンシーシェン》沿いの歩道

1921年、炭田開発のために開通した平渓線。三貂嶺ではこの平渓線の線路すれすれに歩道があり、ちょっとしたスタンドバイミー気分を味わえる。（線路に入るのはNG。子どもは十分注意）

三貂嶺生態友善隧道《サンディァオリンションタイヨウシャンスェイダオ》

1922年に開通した瑞芳と三貂嶺を結ぶ旧鉄道トンネル。2019年に文化資産に登録。タイワンコウモリが生息しており、歴史と生態を楽しめる。要予約。

📍新北市雙溪區雙溪牡丹和瑞芳三貂嶺交接處 🕒8:30-16:30（入園16:00まで） 休月曜

三貂嶺の見どころ

自然あふれるハイキング地として人気の三貂嶺ですが、ローカル線や廃墟も見逃せません。

三貂嶺生態友善隧道

平溪線

ピンシーシェン

山と海の絶景を堪能できるローカル船。炭田開発のため、日本統治時代に路線がひかれた。三貂嶺駅から分岐し、基隆河沿いを走る。

Café　hytte

カフェ　ヒュッテ

Googleマップにのっていないことで有名な廃墟カフェ。映える空間でありながら、メニューはお手頃。

新北市瑞芳區魚寮路113號
12:00-17:00　㊡土曜日、日曜日

三貂嶺車站

サンディアオリンチョージャン

台湾鉄道宜蘭線と平渓線の駅で100年以上の歴史を持つ。貨物列車も見れる。

新北市瑞芳區碩仁里魚寮路1號　6:00-24:00　㊡無休

ノスタルジック萬華

MRT龍山寺駅から西門駅あたりの一帯を萬華といいます。清朝時代から港町として栄えてきた萬華は、壁のない博物館と呼ばれるほど濃いエリア。いつもよりゆっくり歩いてみると、新しい台湾レトロに出会えるかもしれません。

おすすめレトロスポット

艋舺服飾商圈《モンジャーフーシーシャンチェン》

いわゆる派手なおばちゃん服が並ぶエリア。平面百貨公司（平面デパート）と呼ばれ、萬華の文化のひとつ。

台北市萬華区大理街、西園路、和平西路、康定路付近　月曜日～日曜日11:30-21:00　㊡無休

剝皮寮歴史街區《ボーピーリャオリーシージエチュー》

赤レンガとアーチ形の騎楼が特徴的な清朝時代の街区を再現したエリア。古い映画の看板を再現したものや、チョークの落書きといった当時を思い起こさせる。

台北市萬華區康定路173巷　火曜日～日曜日9:00-18:00　㊡月曜日

萬華の夜

萬華は夜の街の側面も持ち合わせており、日が暮れるとディープな夜市や風俗店が目立ちます。風情があるけれど、薄暗い場所もあるので、少しだけ気を引き締めて。

剝皮寮歴史街區

南機場夜市

ナンジーチャンイエシー

日本統治時代に空港があったことが名前の由来。下町ならではの美食の宝庫。1964年から続く。

📍台北市中正區中華路二段307巷 🕒17:00-0:00 ㊡無休

青草巷

チンツァオシィァン

生薬の問屋が並ぶ小さな通り。かつては龍山寺に参拝に来る患者や家族が必ず立ち寄る場所だった。

📍台北市萬華區西昌街224巷 🕒月曜日～土曜日8:00-22:00 ㊡無休

星巴克艋舺門市

シンバークーモンジャーメンシー

台北市の市定古蹟に指定されている古民家を、修復してスタバに。レトロな階段に注目。

📍台北市萬華區西園路一段306巷24號&26號 🕒月曜日～金曜日7:00-21:30 土曜日～日曜日7:30-21:30 ㊡無休

夜市で〆る台湾の一日

夜、台湾でしたいことといえば、「夜市での食べ歩き」と答える人も多いのではないでしょうか？　片手にタピオカミルクティー、片手にフライドチキン（鹹酥雞）を持って頬張りながら歩くのは、台湾の若者なら誰もが一度はやったものともいわれています。

今、食べ歩きたい夜市

通化夜市

トンホワイエシー

昼間は市場として営業しているので、いつ行ってもおいしい屋台料理を楽しめます。金魚すくいやエビ釣り、グッピーすくいや亀すくいもできる！

台北市大安區臨江街　18:00-0:00　休 無休

寧夏夜市

ニンシャーイエシー

ミシュランビブグルマン常連店も多く、美食夜市として知られています。ゲーム屋台があり、こちらも人気。夜9時からは大人も真剣にゲームに興じます。

台北市大同區寧夏路　17:00-1:00　休 無休

失敗しない食べ歩きの極意

夜市で上手に食べ歩くコツは、最初に麺やごはんのお店でお腹を6分目くらいまで満たしておくこと。空腹状態を避ければ、人気屋台の行列もイライラせずに待つことができます。

寧夏夜市

各スポットの場所はP.121からのQRコードをご参照ください。

基龍廟口夜市

ジーロンミャオコウイエシー

台湾で一番食べものの種類が多いといわれる夜市。港町、基隆ならではの海鮮系料理も多い。

基隆市仁愛區玉田里仁三路
12:00-0：00（日曜日のみ8:00-0：00）　休 無休

樂華夜市

ラーファーイエシー

新北市の夜市。昔ながらの夜市料理の他、洋服や雑貨のお店も多いので、買い物も楽しめる。

新北市永和區永平路
16:00-0:00　休 無休

延三夜市

イエンサンイエシー

しっかり食事できるのが延三夜市。屋台でも椅子やテーブルが用意されるので子連れも安心。

台北市大同區延平北路三段
18:00-0:00　休 無休

五感で楽しむ 迪化街

かつて淡水川の港町として栄えた迪化街。各地の特産物を扱うお店が多く、食いしん坊は胸が高鳴りますが、この街の魅力はそれだけにとどまりません。ここでは人の五感に沿って迪化街の楽しみ方をご紹介します。

新旧交わる街

迪化街　ディーフアージエ

レンガ造りのレトロな街並みが魅力。おしゃれな雑貨やカフェも多く、歩くだけでも楽しめる。

📍台北市大同區迪化街一段21號　🕘月曜日～土曜日9:00-17:00
㊡日曜日、月曜日

乾物の取り扱いは台北一。おすすめのお土産はP77で詳しく紹介しています。漢方も有名。

台湾らしい漁師網バッグや小ものも豊富。お土産を入れてバッグごとプレゼントしても。

聴覚

同安樂

トンアンルー

二胡の生演奏（土日）がある中国茶カフェ。リクエスト曲を演奏してくれることも。

📍台北市大同區迪化街一段121號
🕘月曜日～金曜日11:00-20:00　土曜日～日曜日11:00-21:00　㊡なし

中国茶とお菓子のセットは200元。好きなお茶を選べる。

視覚

大稲埕戲苑

ダーダオチャンシーユエン

歌仔劇や京劇などの伝統戯曲が楽しめる他、布袋劇の展示も見応えたっぷり。

📍台北市大同區迪化街一段21號
🕘月曜日～土曜日9:00-17:00　㊡日曜日、月曜日

市場と同じ建物の8階が展示スペース、9階が伝統戯曲のホールに。

味覚

大稲埕慈聖宮美食街 ダーダオチャンシーシェンゴンメイシージエ

慈聖宮の参道に軒を連ねる13件の屋台。各店で昔ながらの台湾小吃を味わえる。

台北市大同區保安街49巷
10:00-15:00
㊡無休

許仔豬腳麵線の豚足素麺は必食。生姜が効いた澄んだスープが身体に沁み渡る。

航海の守護神、媽祖（P47）が祀られている慈聖宮。広場にはガジュマルで日陰ができる。

触覚

永樂布業商場

ヨンラーブーイエシャンチャン

台湾最大の布問屋街。実際に触って質感を確かめられる。台湾の花柄布も豊富。

台北市大同區迪化街一段21號2樓 月曜日～土曜日10:00-18:00 ㊡日曜日

生鮮市場の2階と3階に位置する。仕立ても頼める。

嗅覚

有多聞稲埕香料館

ヨウドーウェンダオチャンシャンリャオグアン

商品全ての香りを試せるスパイス専門店。世界各国のスパイスを取り揃える。

台北市大同區西寧北路104號1樓
月曜日～土曜日9:00-19:00
（土曜日のみ9:00-17:00） ㊡日曜日

サンプルのQRコードを読み込むと料理の例も見られる。

 各スポットの場所はP.121からのQRコードをご参照ください。

地元民だけが知る

１０１、穴場鑑賞スポット

台北のランドマークといえば、台北１０１。地上１０１階建ての美しいタワーですが、観光価格のチケットと混雑具合に見物をためらうもの。ここは、地元民とっておきの場所で、ひと味違った１０１の表情を堪能してみて。

陶朱隱園《タオジューインユェン》

日本の熊谷組が建設した高層芸術マンション。らせん状にねじれるデザインが特徴。101とのコントラストはインスタ映えする。

台北市信義區松高路68號

台北市政府戲沙《タイペイシーヂョオンフシーシャアー》

下から見上げる101は、迫力満点。買い物客や交通の邪魔にならず、思う存分鑑賞できるのがここ。ろ過砂の砂場もある。

台北市信義區松智路1號　24時間営業

竹村居酒屋《ジューツゥンジュージュウウー》

味のある101の写真を撮りたかったらここ。日本と台湾を同時に感じられる。人気ドラマ『イタズラな恋愛白書』のロケ地にもなった。

台北市信義區松仁路253巷1弄2號　17:00-0:00（金曜日、土曜日は17:00-1:00）

美食もサイクリングもクルーズも

ますます楽しい大稲埕碼頭

(ダーダオチャンマートウ)

かつて、淡水川の水運を担う港として賑わった大稲埕碼頭。現在はその一帯が広場となっており、クルージングやサイクリングを楽しむ拠点にもなっています。

各国料理と景色を味わう

PIER5

映える料理も多い注目のマーケット。平日は夕方から、土日はお昼から営業。

台北市大同區民生西路 底五號水門, 大稲埕碼頭貨櫃市集
月曜日～金曜日16:00-22:00
土曜日～日曜日12:00-22:00
㊡無休

美しい夜景を見るために、夕方から人が増える。マジックアワーを堪能！

フードを買って2階に上がれば、淡水川とその向こうの街並みを眺めることができる。

川辺を走る

絶景サイクリング

*

自転車を借りてサイクリングも楽しめる。子どもを乗せられるものも。

台北市大同區民生西路 底五號水門, 大稲埕碼頭貨櫃市集　月曜日～金曜日9:00-12:00　14:00-19:00土曜日～日曜日12:00-19:00

レンタルサイクルではなく、youbikeを使うこともできる。

新しい台北に出会う

淡水川クルーズ

たっぷり1時間以上のクルージングを低価格で楽しめる。

台北市大同區民生西路 底五號水門, 大稲埕碼頭貨櫃市集
季節、天候による

運が良ければ魚にも会える！

週末は、日中、サンセット、夜景、と1日3回船が出ることも。

各スポットの場所はP.121からのQRコードをご参照ください。

特色公園

遊園地より楽しい？

（ターサーゴンユエン）

台北の公園はまるで遊園地。台北市政府の「すべての人に遊びの権利を与える」という政策のもと、多くの公園が、アスレチックのように生まれ変わっています。台湾では、公園は幼児だけのものではありません。大人も思う存分楽しんで！

「地球旅行」をテーマにリニューアル

新生公園 シンシェンゴンユエン

バラ園の他、室内には台湾植物を専門に展示する植物園も。気候や気温まで再現されている。

2021年末にリニューアルした遊具。地球旅行がテーマになっており、トランポリンなども。

広大な敷地内には、生垣でできた巨大迷路や遊具、バラ園などが。真上を飛ぶ飛行機にも興奮！

台北市中山区新生北路3段105號　24時間営業

大迫力の滑り台を体験してみて

天母運動公園

ティエンムーユンドンゴンユエン

9mを超える巨大遊具。子どもに限らずどんな人でも楽しめる遊び場となっている。

台北市士林區忠誠路二段77號

24時間　休 無休

野球場に隣接。砂場、ジップライン、大型ジャングルジム、噴水などもある。

おしゃれスポットと公演が一箇所に

華山大草原

ホァシャンダーツァオユエン

日本時代に建設された酒工場の跡地。煙突滑り台など酒工場を感じさせる遊具も。

台北市中正區林森北路27號

24時間　休 無休

工房跡地はアート&ショッピングエリアに。遊んだ後は買い物や食事もできる。

比べて楽しむ テーマ別商店街

あまり知られていないですが、台湾には、同じ業種の店が一箇所にまとまった商店街がいくつもあります。例えば、犬猫ペット街、自動車街、フィギュア街など。趣味や興味にハマればとても楽しいですよね。いくつかここで紹介します。

相機街（カメラ街） シャンジージェ

カメラや周辺機器を取り扱う店が10件以上並ぶ通り。修理店もあるので、旅行中のカメラの故障にも対応してもらえる。

台北市中正區漢口街、博愛路、開封街　月曜日〜土曜日11:00-20:00　日曜日11:00-19:00

水族街（熱帯魚街） シュイズージェ

海水魚を含む熱帯魚を売る店が20件近く並ぶ。台湾は、日本と比べると熱帯魚が本当に安い！日本では入手困難な希少種も。

台北市民權東路五段　17:00-0:00（金曜日、土曜日は17:00-1:00）

文昌家具街（家具街） ウェンチャンジャージュージエ

大小様々な家具店が100件近く集まる地区。レトロな街並みにモダンな家具店が並ぶ様子がおしゃれ。散歩にも最適。

大安區文昌街171~311、154~274號　店舗による

台湾で見つける

まるでジブリなロケーション

「千と千尋の神隠し」の舞台になったともいわれる九份には、連日多くの観光客が訪れています。実は台湾には、九份の他にもジブリの世界観を味わえるスポットがたくさんあります。いくつかここで紹介してみましょう。

まるで千と千尋の神隠し

九份「阿妹茶樓」アーメイチャロウ

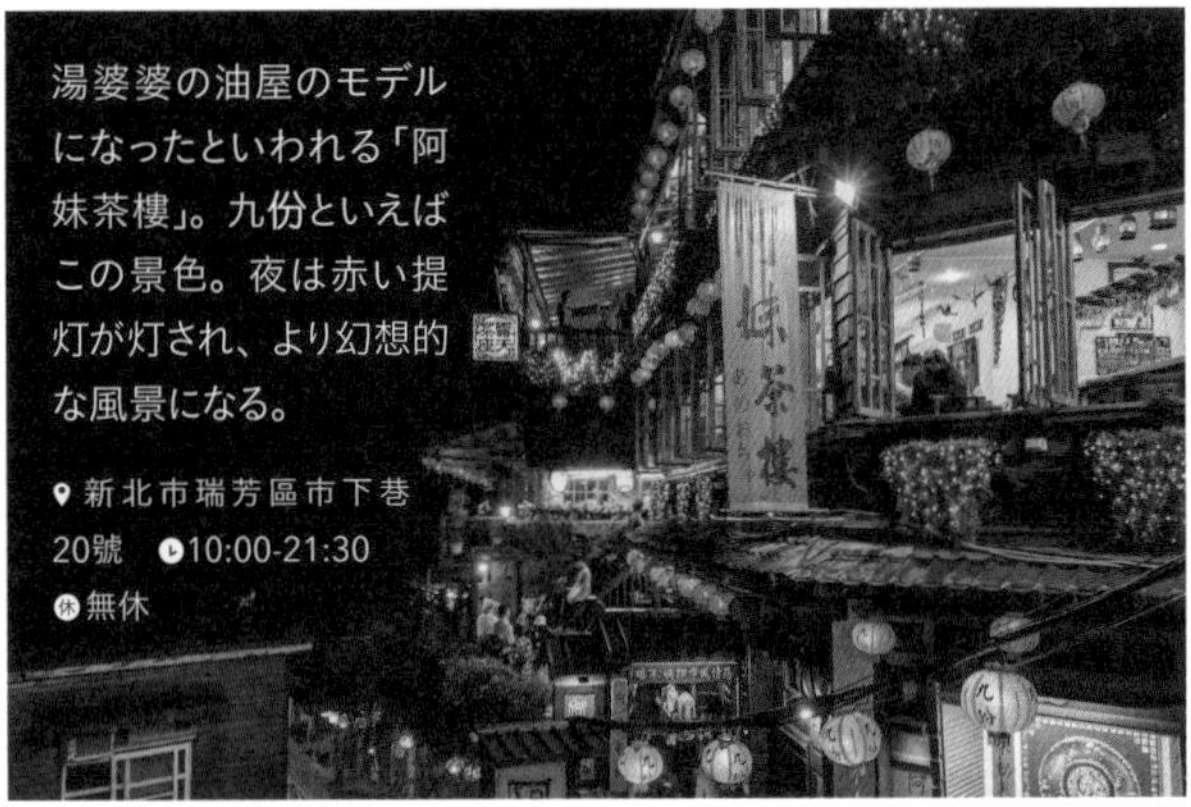

湯婆婆の油屋のモデルになったといわれる「阿妹茶樓」。九份といえばこの景色。夜は赤い提灯が灯され、より幻想的な風景になる。

新北市瑞芳區市下巷20號　10:00-21:30

休 無休

まるで風の谷のナウシカ

望幽谷浜海歩道 ワンヨウグービンハイブーダオ

基隆の八斗子漁港に隣接。景色の美しさから「天国への望遊歩道」とも呼ばれている。日帰りできるハイキングスポットとしても人気。

基隆市中正區八斗街

24時間　休 無休

まるで天空の城ラピュタ

水湳洞十三層遺址 シュイナンドンシーサンツェンイージー

日本時代に建てられた製錬所が現在では廃墟に。夜は美しくライトアップされる。九份から近いので、セットで楽しむこともできる。

新北市瑞芳區(約九份溪出海口兩岸)　24時間　休 無休

基隆（ジーロン）

台北から40分の港町

台北駅からバスや電車で1本、40分程度で着く海の街が基隆。あまりに近いので、私の場合は市内感覚で月に1～2回は遊びに行きます。海や夜市（P57）はもちろん、近年、おしゃれな新スポットも増えているので、何度行っても飽きません。

本島から一番近い離島

和平島地質公園 ハーピンダオディージーゴンユエン

入場料は120元かかるものの、波によって浸食された奇岩が並ぶ光景は一見の価値あり。

基隆市中正區平一路360號　8:00-18:00　休 無休

*

最高に楽しい海プール。熱帯魚と泳げるのがうれしい。幼児が遊べる浅い海水プールも。

スペイン統治時代のお城をイメージしたビジターセンター。ここでシャワーも浴びられる。

基隆最新スポットはここ！

基隆塔 ジーロンター

2023年12月に完成した基龍市街を一望できるタワー。山上にある中正公園と繋がる。入場料無料

基隆市中正區義二路130號　火曜日～日曜日10:00-22:00　休 月曜日

敷地内には戦時中に日本軍が司令部を置いたとされる信二防空壕が。中に入って見学できる。

最強のインスタ映えスポット

正濱漁港-彩色街屋 ヂョオンビンユーガン-ツァイスージエウー

1934年に日本人によって開かれた漁港。その色合いから「台湾のブラーノ島」ともいわれる。

基隆市中正區正濱路72號　24時間　休 無休

おしゃれなカフェやレストランも多く休憩にも◎。和平島地質公園からも近い。

のんびり過ごせる穴場スポット

深澳漁港

（シェンアオユーガン）

台湾観光の定番「九份」や、人気の秘境「三貂嶺」など、注目のスポットがめじろ押しな瑞芳地区ですが、まだまだ開拓の余地はあります。ここでは、しずかにのんびりと過ごせる穴場の漁港をご紹介します。

深澳漁港　シェンアオユーガン

台湾で一番漁船が多いといわれる漁港。船着場から海を覗くと、熱帯魚やハリセンボンが泳いでいることも。港の奥には奇岩の多い海岸が。

◎新北市瑞芳區深澳路　◷24時間

深澳鐵道自行車

シェンアティエダオズーシンチャー

かつての鉱山鉄道の支線を利用したレールバイク。風を感じながら、海と山の絶景を眺められる。トンネル内のライトアップも幻想的。

◎新北市瑞芳區建基路二段1-1號◷月曜日～日曜日　10:30～16:30　㊡無休

深澳漁港海天步道

シェンアオユーガンハイティエンブーダオ

高さ310mの展望台まで続く遊歩道には、7体のマイクラのオブジェが。奥には基隆山と九份がみえる。

◎新北市瑞芳區深澳路深澳漁港旁　◷24時間　㊡無休

海鮮熱炒

ハイシェンルーチャオ

漁港沿いに並ぶ海鮮熱炒で食事をするのもおすすめ。付近で水揚げされる新鮮な小イカは必食。黒いイカソーセージも名物。

◎新北市瑞芳區深澳路、深澳漁港付近　◷店舗による

礁溪郷（ジャオシーシャン）

温泉以外も楽しめる！

実は台湾は温泉大国。国内に120以上の温泉があるといわれています。台北近郊だと、北投や烏來なども有名ですが、私が推したいのは礁溪温泉。周りに遊ぶところがたくさんあります。

湯圍溝溫泉公園　タンウェイゴウウェンウェンチェンゴンユェン

無料、有料の各足湯スポットが充実しているのが湯圍溝溫泉公園。純台湾スタイルの温泉「湯圍風呂」の他、小吃やゲームの屋台も並ぶ。

宜蘭縣礁溪鄉德陽路99之11號　24時間　休なし

金車生技水産養殖研発中心

ジンチャーシェンジーシュイチャンヤンジーイェンファジョンシン

有名飲料メーカー「金車グループ」の水産センター。目玉はなんといってもサメの餌やり体験。小さな水族館もあり、海の生態を学べる。

宜蘭縣礁溪鄉淇武蘭路162-13號
8:00-17:00　休なし

重口味溫泉魚

ジョンコウウェイウェンチェンユー

ドクターフィッシュのお店。ただし魚がデカい。金魚からスタートして、最終的には足と同じくらいの魚が登場。

宜蘭縣礁溪鄉仁愛路23號
月曜日〜金曜日9:00-22:00　土曜日〜日曜日9:00-23:00　休なし

伴手禮

バンショウリー

宜蘭縣の特産品や温泉地ならではのお土産を購入できるのも礁溪郷の魅力。温泉卵ではなく、温泉ピータンが買えるのも台湾らしい。温泉トマトもチェック！

宜蘭縣礁溪鄉德陽路6之2號　8:00 〜 24:00　休無休

各スポットの場所はP.121からのQRコードをご参照ください。

無料で楽しめる!

おすすめ博物館

台湾は、博物館のチケットが日本よりずっと安いのが魅力。無料のものもたくさんあります。ここでは、入場料無料&30元以下のおすすめ博物館を紹介します。

台北探索館《タイベイタンスゥオグアン》

工夫を凝らした展示で台北の歴史や自然環境などを学べる。在住者でも知らない情報もたくさん! ここに来たらガイドブックいらず?

台北市信義區市府路1號 月曜日〜日曜日9:00-17:00 休 水曜日

國立中正紀念堂《グゥオリーチョンジェンジーニェンタン》

蔣介石を記念して建てられた巨大な施設。散歩にも最適。憩いの場。敷地内で散歩できるので、赤ちゃん連れにも◎。

台北市中正區中山南路21號 9:00-18:00 休 無休

新北市美術館《シンベイシメイシューグアン》

2023年4月に開館。台湾で一番美しい美術館の異名も。主に近現代美術を中心に展示する。

新北市鶯歌區館前路300號 火曜日〜日曜日10:00-17:00 休 月曜日

蝴蝶宮昆蟲科學博物館《フーディエゴンクンチョオンクーシュエボーウーグゥアン》

4000種類以上、4万匹近くを収蔵する標本博物館。撮影はNG。

台北市中正區濟南路一段71號 月曜日〜土曜日10:00-16:00月〜金は団体のみ(予約必須) 休 日曜日

从森國產木材展售中心《ツォンセングゥオチャアンムーツァイザンショウヂョオンシン》

林務局の職員寮を修復して博物館に。台湾国産木材について学べる。

台北市大安區金山南路二段203巷28號 水曜日〜金曜日11:00-17:00土曜日、日曜日11:00-18:00 休 月曜日、火曜日

四四南村
スースーナンツン

大陸からの軍人と家族が住んだ「眷村」に関する展示がある複合施設。

台北市信義區松勤街50號　火曜日～日曜日9:00-17:00　休 月曜日

小紅唇月經博物館
シャオホンツォユエジンボーウーグアン

月経を主題とした唯一の博物館。築60年の建物を改装後2022年オープン。

台北市大同區重慶北路三段335巷40號　金曜日～日曜日11:00-18:00　休 月曜日～木曜日

30元以下で楽しめる！ おすすめ博物館

國立臺灣博物館古生物館
グオリータイワンボーウーグゥアングーシェンウーグアン

日本時代の銀行を利用。中央のファンヘティタンの化石は一見の価値あり。

台北市中正區襄陽路25號　火曜日～日曜日9:30-17:00　休 月曜日　¥ 大人30元、学生15元（國立臺灣博物館のチケットを買えば無料）

國立臺灣博物館
グオリータイワンボーウーグアン

日本統治時代に設立された台湾最古の博物館。台湾の歴史や自然をテーマとする。

台北市中正區襄陽路2號　火曜日～日曜日9:30-17:00　休 月曜日　¥ 大人30元、学生15元

國立臺灣博物館南門館
グオリータイワンボーウーグゥアンナンメングアン

日本時代に生産していたアヘンと樟脳についての博物館。併設のカフェもおしゃれ！

台北市中正區南昌路一段1號　火曜日～日曜日9:30-17:00　休 月曜日　¥ 大人20元、学生10元

郵政博物館臺北館
ヨウヂョオンボーウーグゥアンタイベイグアン

郵便制度や歴史について学べる。世界の切手を集めたコーナーが大人気。

台北市中正區忠孝西路一段114號2樓　火曜日～日曜日9:00-17:00　休 月曜日　¥ 大人5元、学生3元

各スポットの場所はP.121からのQRコードをご参照ください。

季節を先取り

花 in 台北

台湾で暮らしていると、日本より早く季節の花に出会えるという点で「トクしたな～」と思うことも。1月に咲くチューリップや2月に咲くつつじを見ると、想像以上にときめくものです。ぜひ花IN台北で検索を。

台北市政府は「花IN台北」として、毎年1月から12月まで12以上の花畑イベントを主催。どの季節でも花を楽しめる。

おしゃれでありながら安全性も考慮されたガーデンデザインで、小さな子どもからお年寄りまで楽しめる。

花畑には「忙しい台北でも、ゆっくりと呼吸をして季節の花の美しさを感じてもらいたい」という想いが込められている

https://www.flowersfestival.taipei/

Chapter 3

TAIWAN Gift

台湾土産

自分も相手もうれしい
台湾みやげ

台湾最高！

お手頃なのにおいしい！
30元以下のパイナップルケーキ

台湾土産の定番、パイナップルケーキ。最近は、よりおしゃれで濃厚なものも増えて、価格も爆上がりしています（平均してひとつ40元以上の印象）。ここでは、価格を抑えながらもおいしさを誇るパイナップルケーキをご紹介します。

「李製餅家」鳳梨酥　ひとつ22元

老若男女みんなにウケる

誰にあげても「おいしかった！」といわれる一品。冬瓜入りの餡がねっちりと素朴で、軽めの生地と相性よし。特に子どもに人気！

A

B

「福田一方」鳳梨酥　ひとつ30元

一度食べたら爆買い確実

100%パイナップルの餡は、酸味と繊維が程よく感じられ、バター香る生地との相性が抜群。崩れにくいのもうれしい。

B

パイナップルケーキだけを作り続ける名店。プレーンの他に、チョコ、クランベリー、抹茶味があり、その全てがパイナップル餡と調和する完璧さ。

A

基隆の老舗中華菓子店の台北支店。パイナップルケーキだけでなく、蛋黃酥（卵入りパイまんじゅう）や太陽餅（ミルクパイ）も秀逸

福田一方鳳梨酥　フーティエンイーファンフォンリースー

台北市大同區重慶北路二段71-1號　月曜日～日曜日 10:00-21:000　休なし

李製餅家　リージービンジャー

台北市中山區林森北路156號　月曜日～日曜日 9:30-21:30　休なし

(C)

可愛いふんわり系

華やかなパッケージと丸い形が可愛いパイナップルケーキは、ふんわりした口当たりが特徴。餡に入った角切りパインがアクセント。

「聖保羅」鳳梨酥　ひとつ20元

(D)

台鳳牌鳳梨酥-全麥 8個入り　69元

激安だけどあなどれない！

「そんなバカな。8個で69元だと?」と疑いながらも購入。結果、いいじゃないの！　全粒粉生地に蜂蜜入りの餡がよく合う。甘さ控えめ。

(E)

少しでも満足できる濃厚さ

濃厚さの正体は、バターではなく、チーズ。チーズの塩気とパイナップル餡の甘さが同時に味わえる。程よい酸味も加わり、満足感あり

裕珍馨 鳳梨酥　ひとつ30元

(E)

裕珍馨　南京旗艦店

ユーヂェンシンタイベイナンジンチージィェンディエン

三代続く中華菓子の有名店。奶油酥餅（ミルク入りパイ）が有名。パイナップルケーキは丸くてかわいいミニサイズもあり。

台北市松山區南京東路四段180號　月曜日～日曜日9:00-22:00　㊡なし

(D)

台鳳牌鳳梨酥-全麥

タイフォンパイフォンリースーチュエンマイ

100年以上の歴史を持つパイナップルブランド企業が手掛けるパイナップルケーキ。全粒粉を使った生地が特徴的。各スーパーに取り扱いあり。

台北市内のスーパー各所
店舗による　㊡店舗による

(C)

聖保羅烘焙（セントポール）

シェンバオロゥコンベイ

素材にこだわり、保存料無添加を守り続けるベーカリー。名物の餅入りパイ「Q餅」は、香港、マカオでも大人気。台北市内に2店舗。

北市中正區北平西路3號1樓櫃位（ブリーズ台北駅内）
月曜日～日曜日 10:00-22:00　㊡なし

お店の場所はP.121からのQRコードをご参照ください。

使いやすいものがいっぱい！
厳選台湾調味料

日本のようにジャポニカ米を主食とし、醤油や砂糖を使ったおかずが多い台湾。調味料も日本人が使いやすいものがたくさんあるので、いくつか厳選してご紹介します。

馬記特級小磨香油　マージーターシーシャオマーシャンヨウ

150元　miac'bon (ミアセボン) で購入

柔らかく繊細な香りが特徴のゴマ油。白ゴマをペーストにして熱湯を加え分離させてつくる伝統製法。スープやサラダに垂らして香りを楽しんで。

東泉「辣椒醬」　ドンチュアンラージャオジャン

70元　miac'bon (ミアセボン) で購入

台中人の魂といわれる唐辛子ソース。味の微妙なものもこれをかけるとおいしくなると話題。麺や揚げもの、粽に合う。

味榮「古釀破布子」
ウェイロングーニャポウブーズ

180g元　里仁 (リーレン) で購入

スズメイヌジシャという植物の実の発酵調味料。甘辛くごはんが進む味で、蒸し魚や炒め野菜、炒り卵と相性よし。

金錢豹「酥皮蚵仔煎粉」
ジンチェンバオ　スーピーオアジェンフェンソンフェン

52元　全聯福利中心 (チュエンリエンフーリージョンシン) で購入

蚵仔煎（p30）が作れる粉。外パリ中モチに仕上がる。揚げものや羽餃子にも最適。防腐剤無添加。

屏科大「素香菇蠔油」　ピンカーダースーシャングーハオヨウ

168元　家樂福 (ジャーラーフー) で購入

椎茸を使ったビーガンオイスターソース。とろみがあって冷菜に絡めやすい。日本のおひたしにも◎。

牛王「蒜味冬菜」　ニョウワン　スワンウェイドンツァイ

55元　全聯福利中心 (チュエンリエンフーリージョンシン) で購入

キャベツのニンニク塩漬け。汁ものや春雨に少し入ると一気に香り良く。パスタソース作りにも使える。

迪化街で買う
台湾ならではの乾物

台湾らしい食材をお土産にするなら、迪化街で買える乾物がおすすめ。料理の幅がぐっと広がる上、帰りの荷物の負担にならない軽さもありがたいですね。

愛玉子　アイユーズ

1パック　100元程度

愛玉という台湾固有植物の種。水の中で揉めばゼリーに。レモンシロップと相性◎

加味四物湯　ジャーウェイスーウータン

1パック　100元程度

女性は生理後2–3日に飲むと補血効果が。生理不順にも◎。生理前や生理中に飲むのは×。

蓮子 300g　レンズ

200元程度

日本では入手しにくいハスの実。甘く煮るとホクホクで美味。豆を煮るより早い。

木耳　ムーアー

1パック　150元程度

炒め物に最適な台湾キクラゲ。よく見る小さいものは「川耳」といって冷菜向きで、多くは中国産。

金針花　ジンジェンフアー

1パック　150元程度

ウコンカンゾウの花を乾燥させたもの。強い味はなくスープや炒めものに使用。

※これらの商品を使った台湾料理のレシピは著者のInstagramに載せています。

お茶の国だからこそ ウーロン茶以外の選択肢

実は味と価格が比例しやすい中国茶。お金を出せばおいしいものが買えます。なのでここで紹介するのはそれ以外のお茶。日本より種類豊富でおトクなものがそろっています。

天仁原片阿薩姆紅茶

テンレンイェンピェンアーサームホンチャー

160元　家樂福(ジャーラーフー)で購入

台湾最大の製茶メーカー「天仁」のアッサム紅茶。色々なサイズがある中、40パック入りは丸ごと茶葉を使用。

曼寧台灣花草茶-深焙黑豆茶

マンニンタイワンホワツァオチャー　シェンベイヘイドウチャー

179元　家樂福(ジャーラーフー)で購入

台湾の黒豆茶はとっても便利。煮出す必要がなく、ティーバックでも香ばしい黒豆茶が飲めます。

金萱茶　**スジンシェンチャー**

価格は店による

中国茶でも比較的手頃でおいしく飲めるのが、摘採期の長い金萱茶。季節を選ばず芽吹く四季春茶も◎。

正逢-決明茶　**ジェンフェン　ジュエミンチャー**

60元　全聯福利中心(チュエンリエンフーリージョンシン)で購入

日本ではあまり一般的でないケツメイシ茶。安眠や降コレステロールの助けになるそう。その上味もいい。

東爵-經典特級紅茶

ドンジュエ　ジンデンタージーホンチャー

168元　家樂福(ジャーラーフー)で購入

「紅茶がうまい!」と話題の台湾モスバーガーが使用しているといわれる商品。どデカパック。

馬玉山客家擂茶　**マーユーシャンクージャーレイチャー**

88元　全聯福利中心(チュエンリエンフーリージョンシン)で購入

穀物やナッツを煎ってすり潰した客家のお茶。お湯を注ぐとほのかに甘く、トロトロに。朝食にも◎

クオリティ高く飲みやすい台湾のお酒

実はお酒を飲まない人も多い台湾ですが、お酒を作る技術は高く、世界で賞を受賞するものも多数。ここでは台湾の有名酒や飲みやすくて評判のお酒を紹介します。

金牌台灣啤酒　ジンパイタイワンピージョウ

50元　各コンビニ、スーパー

台湾のお酒といえば台湾ビール。副原料は米だけなので、さっぱりと飲みやすいのが特徴。ノンアル版も。

金門高粱酒58

ウェイロングーニャポウブーズ　180g元　里仁

210元　各コンビニ、スーパー

モロコシの蒸留酒。度数が高く辛いけれど、冷凍すると飲みやすい。火をつけてソーセージを炙ると美味。

紅標純米料理米酒　タージーホンビャオチュンミージョウ

45元　各コンビニ、スーパー

台湾の料理酒といえば米酒。蒸留酒なので米焼酎に近いです。甘くないシャープな味わいで臭み取りに◎

臺虎啤酒 在地台灣味

タイフーピージョウ　ザイディータイワンウェイ

89元　各コンビニ、スーパー

グァバや仙草など、台湾らしい食材を使ったおしゃれなビール。ビアカクテルのようで飲みやすい。

玉泉清酒　ユーチェンチンジョウ

155元　各スーパー

台湾ビールの製造元が手掛ける日本酒。台湾の蒸し暑い夜に合わせて、あえてぬる燗で飲むといい。

台糖 蜆精　タイタン シェンジン

48元　各コンビニ、スーパー

バジル香るシジミエキス。お酒のお供にぜひ。飲酒中に飲むと肝臓を守る働きが。美白にも効果的。

現地っぽいお土産No.1
地元民に人気のスーパー名品

現地の生活が垣間見え、ワクワクが止まらない台湾のスーパー。ばら撒き土産を買うのにもぴったりな場所ですよね。ここでは地元民も日常的に買う、間違いない食品をご紹介します。

台湾の主なスーパー

全聯福利中心　チェンリエンフーリージョンシン

台湾で一番店舗数の多いスーパー。他のスーパーよりも安いものが多くローカル感も◎。日本で発行されたクレジットカードが使えないのが玉にキズ。

家樂福　ジャーラーフー

カルフールの台湾フランチャイズ。家電なども取り扱う大型スーパー。規模の小さい家樂福超市というスーパーも多数。日本発行のカードも使用可能。

miac'bon　ミアセボン

高級志向のスーパー。お値段は高めですが、商品ラインナップがおしゃれ。輸入品や地方調味料も。日本発行のカードが使えます。

※オーガニックスーパー里仁（リーレン）なども人気です。

お菓子

黒師傅捲心酥　巧克力口味

ヘイシーボーチュアンシンスー チャオクーリーコウウェイ

189元　各スーパー

シガレット状のウェハースの中に、チョコを流し込んだお菓子。食べ出すと止まらない。

旭成菜脯餅-原味

シューチェンツァイプービン　イェンウェイ

82元　家樂福

干し大根漬けを使ったチップス。漬物の香りの中に、甘さと塩気を感じ、癖になる。無添加。

孔雀捲心餅-咖啡口味

コンチュエチェンシンスー　カフェコウウェイチャー

32元　各コンビニ、スーパー

凍らせておいしいクッキーロール。冷凍庫で冷やすこの一手間が子どもウケ抜群。甘さ控えめ。

麺

阿舍食堂　4袋入り
アーシャーシータン

95元程度　各スーパー

どこまでもシンプルな混ぜ麺。具は青ネギだけでOK。タレは半分くらいから様子を見てまぜて。

關廟麵　刀削麵　ガンミャオミェン　ダオシャオミェン

130元程度　各スーパー

タレが絡みやすい波型の幅広麺。主に汁なしの混ぜ麺に使用。モチモチ食感で食べ応えあり。

紅標米酒麻油雞麵　3袋入り

159元程度　各スーパー

台湾ビールの製造元が作る､米酒入り鶏ゴマ油麺｡肉入りだけど､検疫所に申請すれば日本への持ち込みOK。

日本でもおなじみ

星太郎　辣口味
シンタイラン　ラーコウウェイ

29元　各スーパー

ベビースタードデカイラーメン、唐辛子味。日本では2016年に引退したベイちゃんがパッケージに！

多樂福水果糖 台灣特產水果
ドーラーフーシュイゴータン　タイワンターチャンシュイゴー

57元　家樂福

日本でもお馴染み、森永ドロップの台湾フルーツ味。パッケージもかわいい！

日清合味道XO醬海鮮味杯麵
リーチンハーウェイダオXOジャンハイシェンベイミェン

37元程度　各スーパー

カップヌードルの台湾限定XO醬味。他にシーフードカレーやスパイシーシーフードなども。

キッチュアイテムの宝庫
生活五金の雑貨たち

台湾でよく見かける総合ディスカウントストアのようなお店。これらは、「生活五金」や「生活百貨」などと呼ばれており、プチプラ雑貨の宝庫です。昔ながらの個人商店にはレトロなデッドストック商品も。

小北百貨台北寧夏店

シャオベイバイフオ　ニンシャーディエン

寧夏店の中にある24時間営業の生活百貨。生活百貨は街中にたくさんあるので、Googleマップで検索してみても。

台北市大同區寧夏路11號
月曜日～日曜日　24時間営業　㊡無休

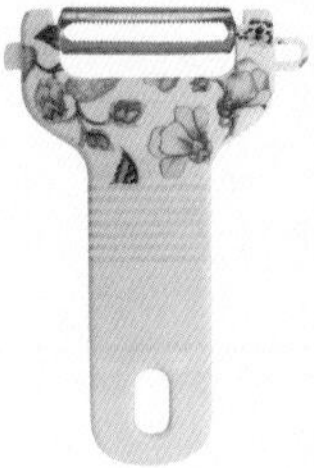

波刀ピーラー　40元程度

めずらしい波刀仕様のピーラー。食材を削ぐと凹凸ができてドレッシングやタレがよく絡む。

醤油差し、楊枝入れ

各30元程度

小吃店で実際に使われているアイテム。醤油差しはプチプラながらも液垂れなし。

レトロジュースグラス

80元程度

昔フレッシュジュース用に使われていたメモリ付きグラス。ずっしり感と花柄がかわいい。

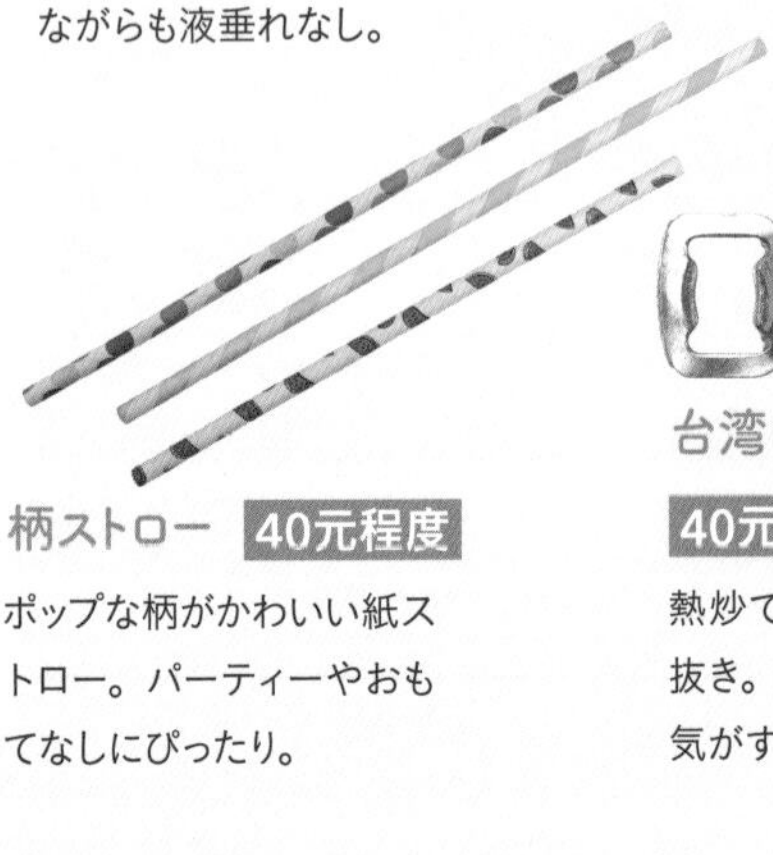

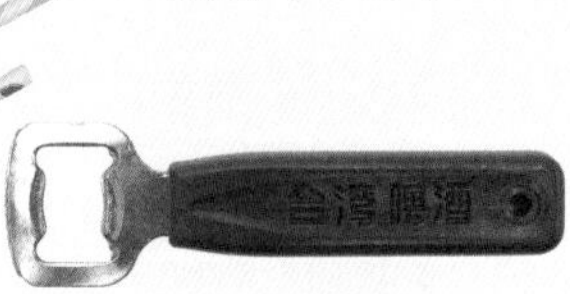

台湾ビールの栓抜き

40元程度

熱炒でよく見る台湾ビールの栓抜き。瓶ビールがおいしくなる、気がする。

柄ストロー　40元程度

ポップな柄がかわいい紙ストロー。パーティーやおもてなしにぴったり。

料理関係ならお任せ
環河南路のキッチンアイテム

河童橋のような料理道具街が環河南路。多くの飲食店が、ここで道具や機械、家具を揃えます。一般人にも買いやすいお店もあるので、お土産をさがすのにもおすすめ。

嘉政餐具設備
ジャージェンツァンジューシャーベイ

幅広いアイテムがひとつのお店にまとまっていて便利。大同の白い器も色々なタイプが入手可能。

◎ 環河南路一段181-6號一樓
Ⓛ 月曜日〜土曜日　9:00〜18:00　㊡日曜日

パイナップルケーキの型
1個25元程度〜

動物型や車型などパイナップルケーキ型の種類がとっても豊富。クッキー型としても使える。

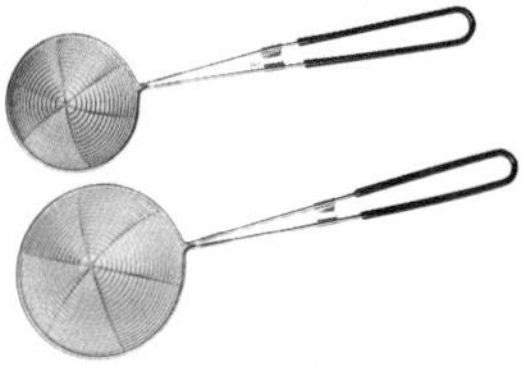

牡蠣すくい　**40元程度〜**

鍋をする時に、牡蠣を入れて掬う小さな網。茹でブロッコリーや水餃子の引き上げにも◎

大同の食器　**20元程度〜**

鼎泰豐などでも使う「大同」の器。食洗機OKで丈夫。白い食器のバリエーションが驚くほど豊富。

伝統菓子の型　**150元程度〜**

ミニ月餅や緑豆のケーキなどに使う型。上から押すと中華な花柄が現れる。クッキーに使ってもかわいい。

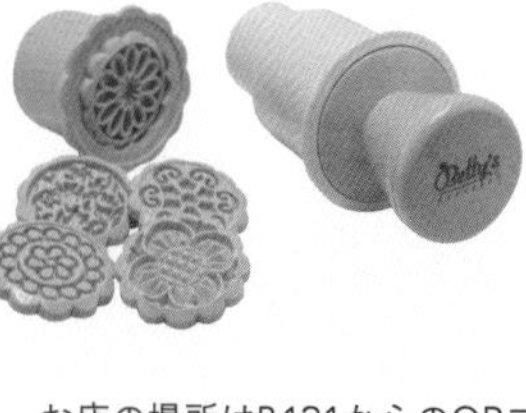

304ステンレスのレンゲと箸
20元程度〜

飲食用の安全なステンレスの印が304。慣れればデザートも食事もこれ1本でOK。もう手放せない。

お店の場所はP.121からのQRコードをご参照ください。

日本にはない発想も！ その他便利グッズ

台湾で長い間使われてきた便利グッズを紹介します。雑貨から薬用品まで、万能に使えるものばかり。実用的なお土産として家族で共有するのもいいですね。

菜匙　ツァイチー

50元程度　各大型スーパーや生活五金

おかずも鍋もチャーハンもスープも取り分けられるどデカレンゲ。柄がプラスチック製のものも。

京都念慈菴　兒童枇杷蜜
ジンドゥーニェンツァン　アルトンピーパーミー

12袋　200元　Watosons

ビワの葉やアミガサユリの球根などを配合したのど飴が有名。よく効くシロップや子ども用も。

南僑水晶肥皂　ナンチャオシュイジンフェイザオ

3個入り　129元　各スーパー

ロングセラーの洗濯用石鹸。襟袖口の汚れ、食べこぼしも一気に落とす。ずっしり重く超長持ち。

白花油、綠油精　バイホワーヨウ、リュウヨウジン

60元〜　各コンビニ、スーパー、ドラッグストア

樟脳やユーカリ油などを原料とした万能オイル。どちらも、虫刺され、頭痛など何にでも効く。

提盤夾　ティーパンジャー

50元程度　各大型スーパーや生活五金

蒸し料理の必需品。てこの原理で簡単に熱々の蒸し器などから器を取り出せます。一家に一つは当たり前。

明星花露水　ミンシンホワールーシュイ

154元　家樂福

柑橘やバラの花エキスを蒸留したアルコール液。かつては香水だったが、虫除けや臭い取りにも。

Chapter 4

TAIWAN Beauty & Spa

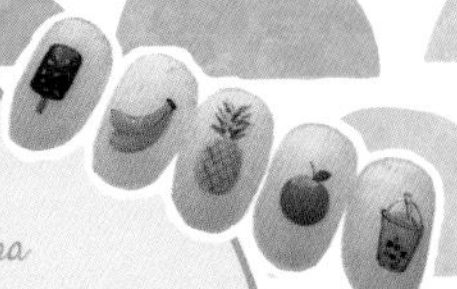

台湾エステ

台湾ならではの美と癒し

台湾最高！

地下街で癒される

漢方の蒸気を使った足だけサウナ

今、台北を中心にジワジワ増えているのが蒸足。一見足湯のようだけど、お湯は使わず、漢方入りの蒸気で足を温めます。血行がよくなり、足や身体の疲れが一気に吹き飛ぶ！

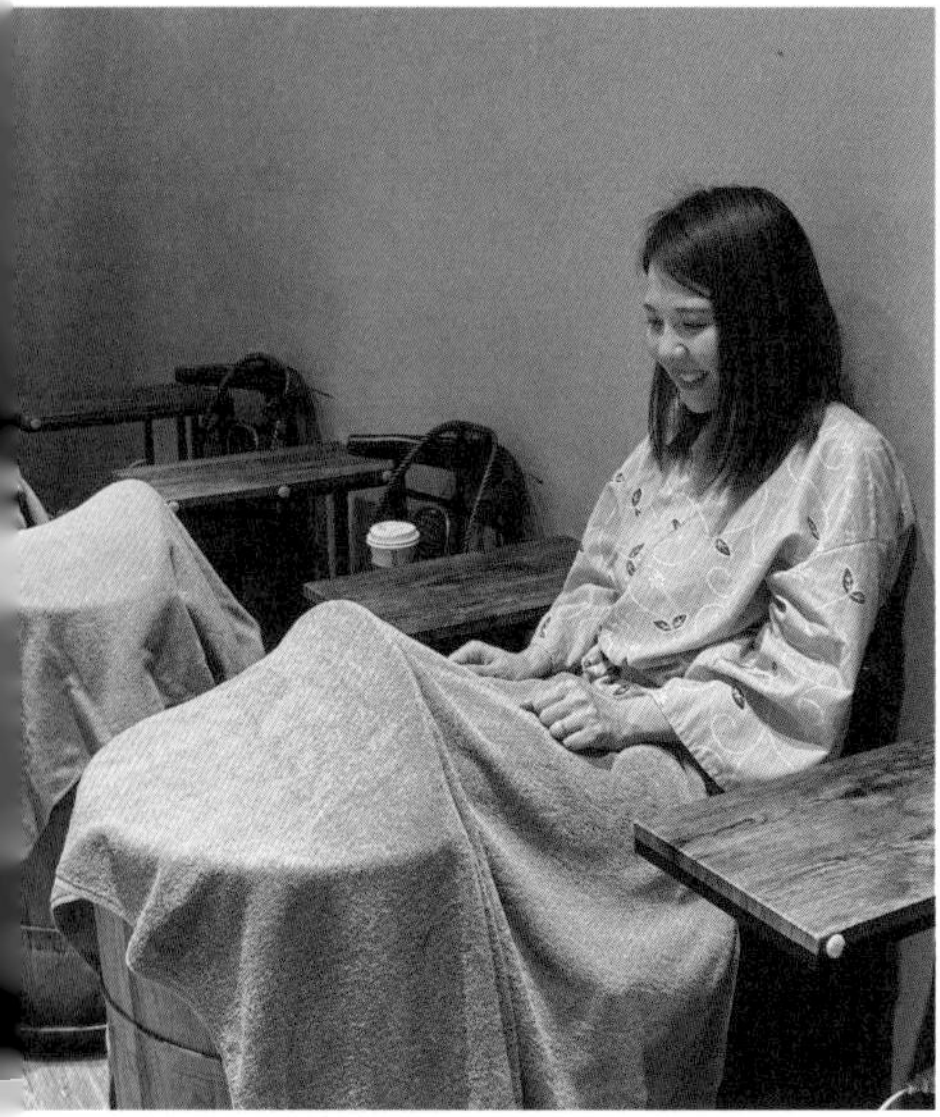

秘伝の漢方が仕込まれている檜の桶。香りよく、心が和み、体も温まる。太ももの付け根まで蒸気を感じるのでしっかり汗をかける。

価格表

蒸足　40分　399元（雙連店）、
499元（東區店）
希望者には10分延長無料サービス。

蒸足をしながら一眠りもよし、ガイドブックを眺めるもよし。コンセント設置でスマホの充電もOK。

蒸足館

ヂェンズーグゥアン

中山地下街と東區地下街に2店舗。便利な立地。

大安區敦南店/東區地下街
台北市大安區大安路一段77號B1 14-3A、
雙連店/中山地下街
台北市大同區民生西路47號B1-B66
10:00-20:30　休 無休

地下街でリフレッシュ

産毛を完全除去！
一度で明るい素肌に

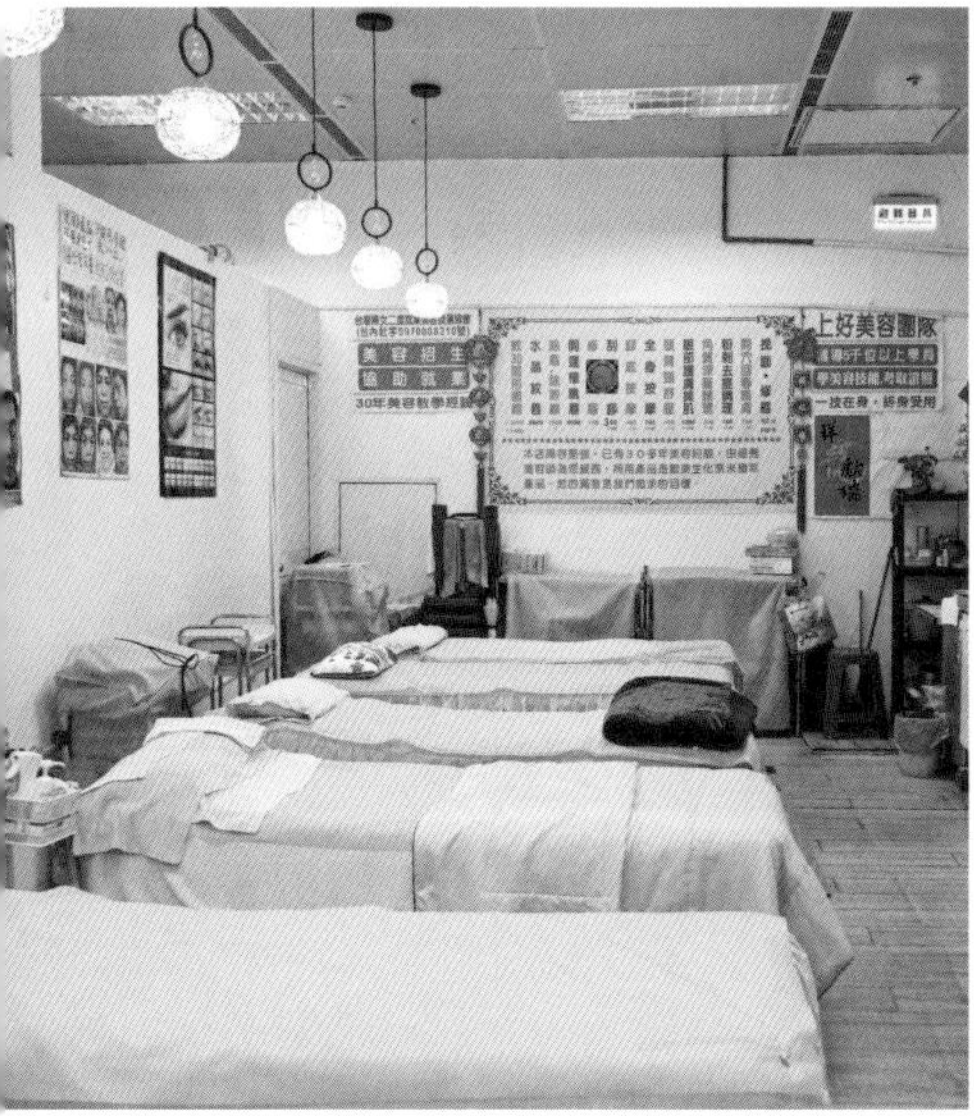

台湾に来たら一度やってみていただきたいのがこの挽臉（顔の産毛取り）。古代から女性に親しまれている美容法ですが男性にもおすすめ。産毛を抜くと同時に角質も取れ、血行も良くなります。

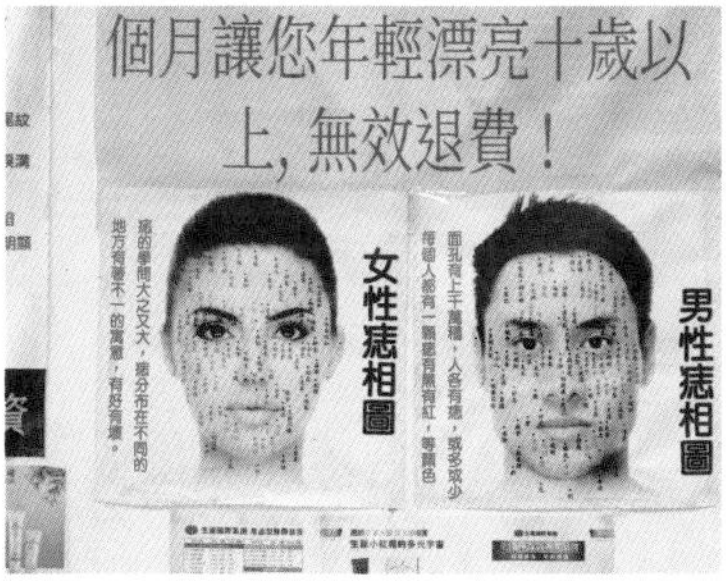

産毛取りだけでなく、イボ取り、シミ取り、リフトアップなどのメニューも。私はここでシミを12個（！）取りました！

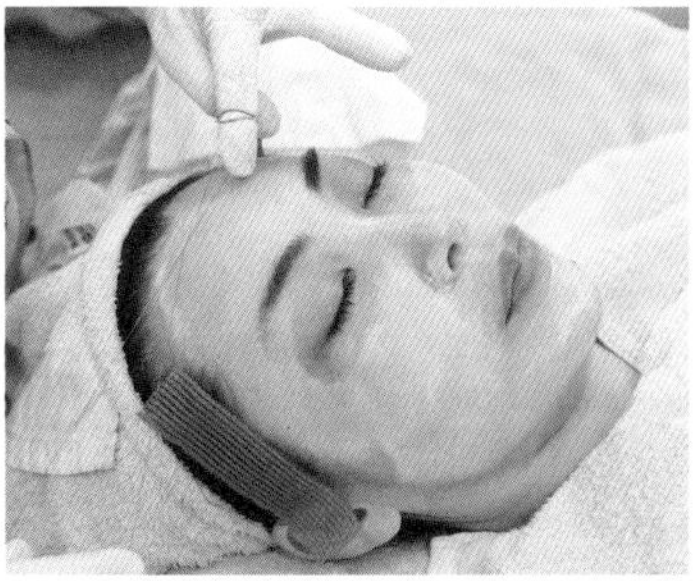

洗顔、保湿後、粉をはたいて準備完了。2本の糸を使って産毛を抜いていく。チクチクと感はあるけど不思議と心地よい。

上好專業美容護膚（台北店）

シャンハオヂュアンイエメイロンフーフー

MRT龍山寺駅の地下。近くには占い館も多数。

台北市萬華區23號龍山寺捷運站地下商場一樓

10:00-20:00　休 無休

価格表

産毛取り	女性300元
	男性350元
角質取り	300元
毛穴掃除	700元　など

地下街でリフレッシュ

移動中でも即効ケア

地下街で受けるマッサージは一般的にお手頃価格。台湾政府からの一部補助もあり、目の不自由な人が従事していることが多いです。

巧手視障經絡按摩

チャオショウシージャンジンロウアンモウ

中山地下街の雙連側。駅直結で便利。

中山區中山地下街B65號　11:00-21:00　休 無休

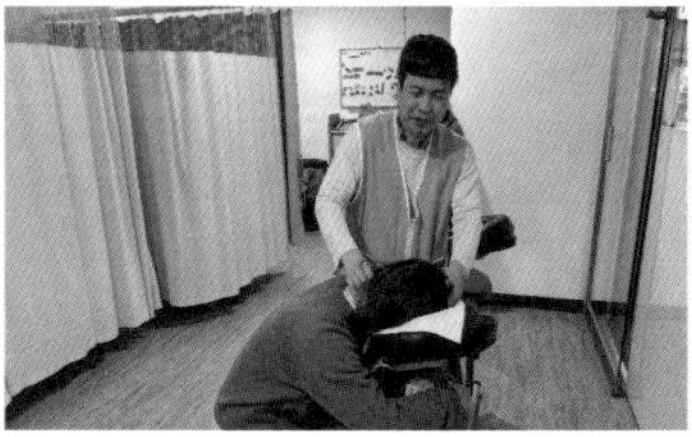

ほがらかに笑いながらも、力強くツボを刺激する盧さん。この道30年のベテランだ。外国人や子どもにもやさしく接してくれるので、心まで癒されること間違いなし。

価格表

上半身マッサージ30分　400元／下半身マッサージ30分　400元／全身マッサージ　60分　700元
足ツボマッサージ　20分　400元

地下街でリフレッシュ

今すぐ行ける気軽さNo.1

今すぐに癒されたいときはここ。50人ほどのマッサージ師が在籍するので、予約なしでも平日は待たずに施術を受けられます。

親の施術中、子どもはお店のベンチでつかの間のYouTubeタイム。

「お客さんやマッサージ師たちにとって憩いの場になれば」と話すオーナー、王さん。

価格表

上半身マッサージ　30分　400円／全身マッサージ（ベッド）　45分　600元／全身マッサージ（ベッド）60分　800元／足ツボマッサージ　30分　500元

真好盲人按摩站

ジェンハオマンレンアンモウジャン

台北地下街の突き当たりの広場で営業。

台北市中正區市民大道一段100號13號廣場　11:00-21:00　休 無休

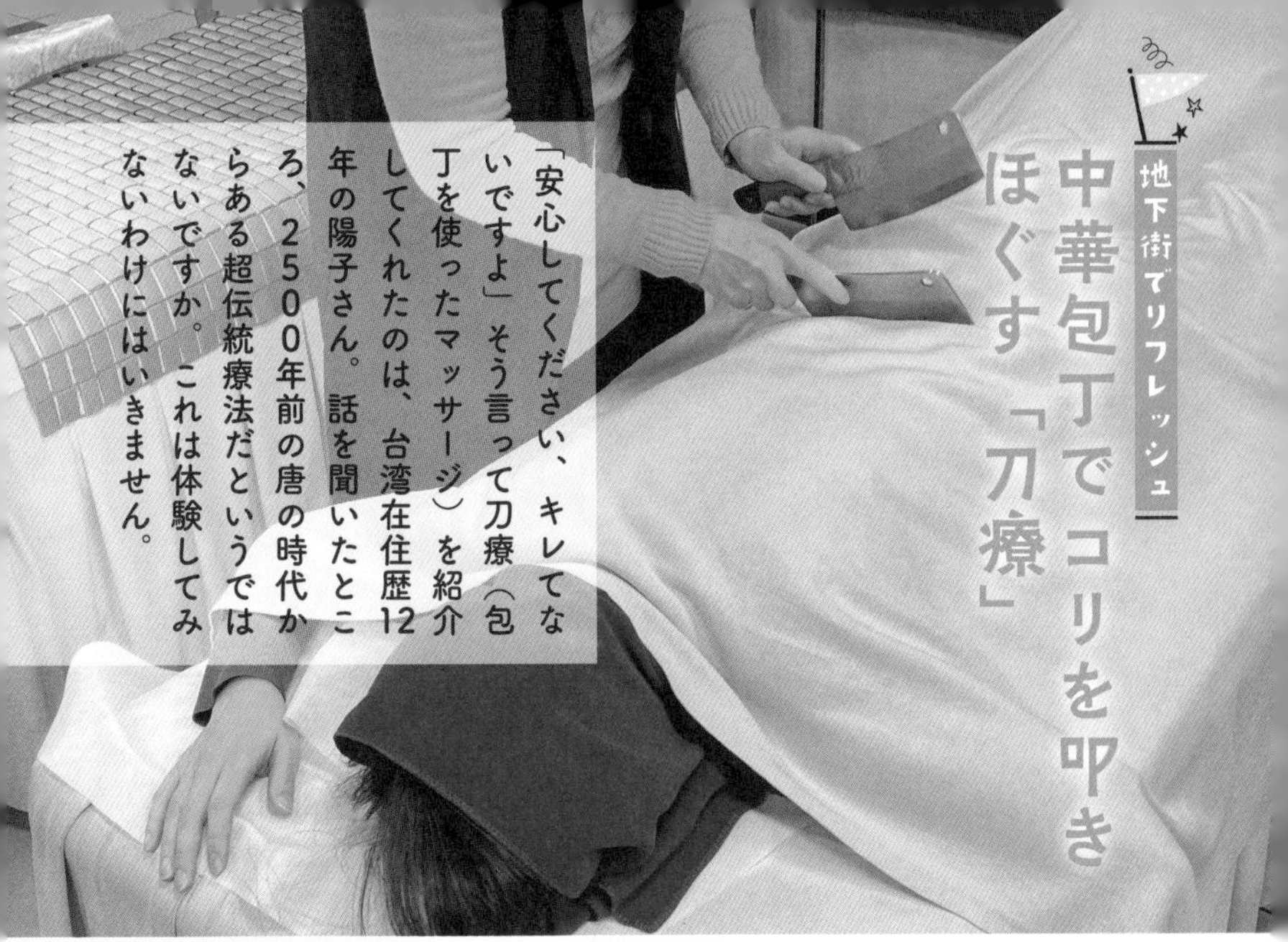

地下街でリフレッシュ

中華包丁でコリを叩きほぐす「刀療」

「安心してください、キレてないですよ」そう言って刀療（包丁を使ったマッサージ）を紹介してくれたのは、台湾在住歴12年の陽子さん。話を聞いたところ、2500年前の唐の時代からある超伝統療法だというではないですか。これは体験してみないわけにはいきません。

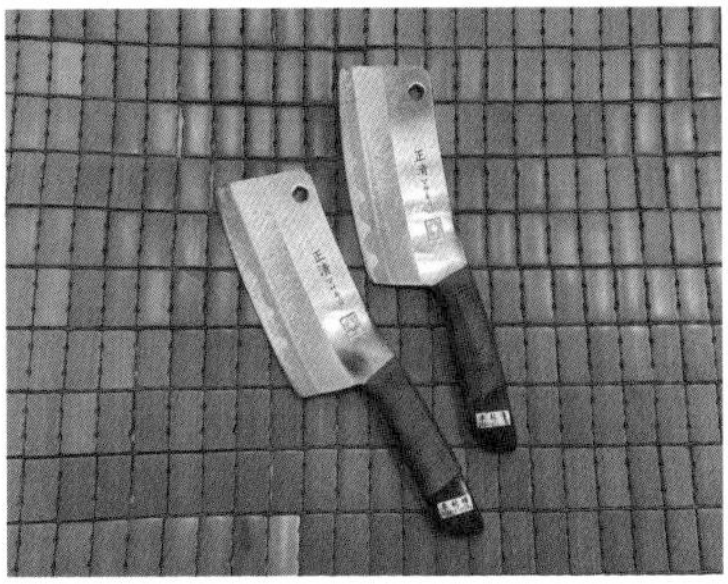

導電性のある2本の包丁で筋肉組織を刺激し、血行を促進。陽を取り込み、陰を放出するという側面も。実際使うのは切れない包丁です。

包丁を振り下ろされるたび、縦に細く長く、筋肉に入っていくようで、とても心地よい。

中華世界刀療協會

ジョンフアシージエダオリャオ

台北地下街を北門方面に歩くと見つかる。

台北市中正區市民大道一段100號

11:00-21:00　㊡無休

価格表

刀療	30分	660元
刀療	45分	880元
刀療	600分	1200元

お店の場所はP.121からのQRコードをご参照ください。

冷えも疲れも同時にケア

生姜フットバスつき！足ツボ刺激で代謝アップ

「ただの足ツボじゃ物足りない」という人におすすめしたい生姜を取り入れた足ツボマッサージ。疲れを癒すだけでなく、生姜の温熱効果で体が温まり、施術後はより元気になっているはず。

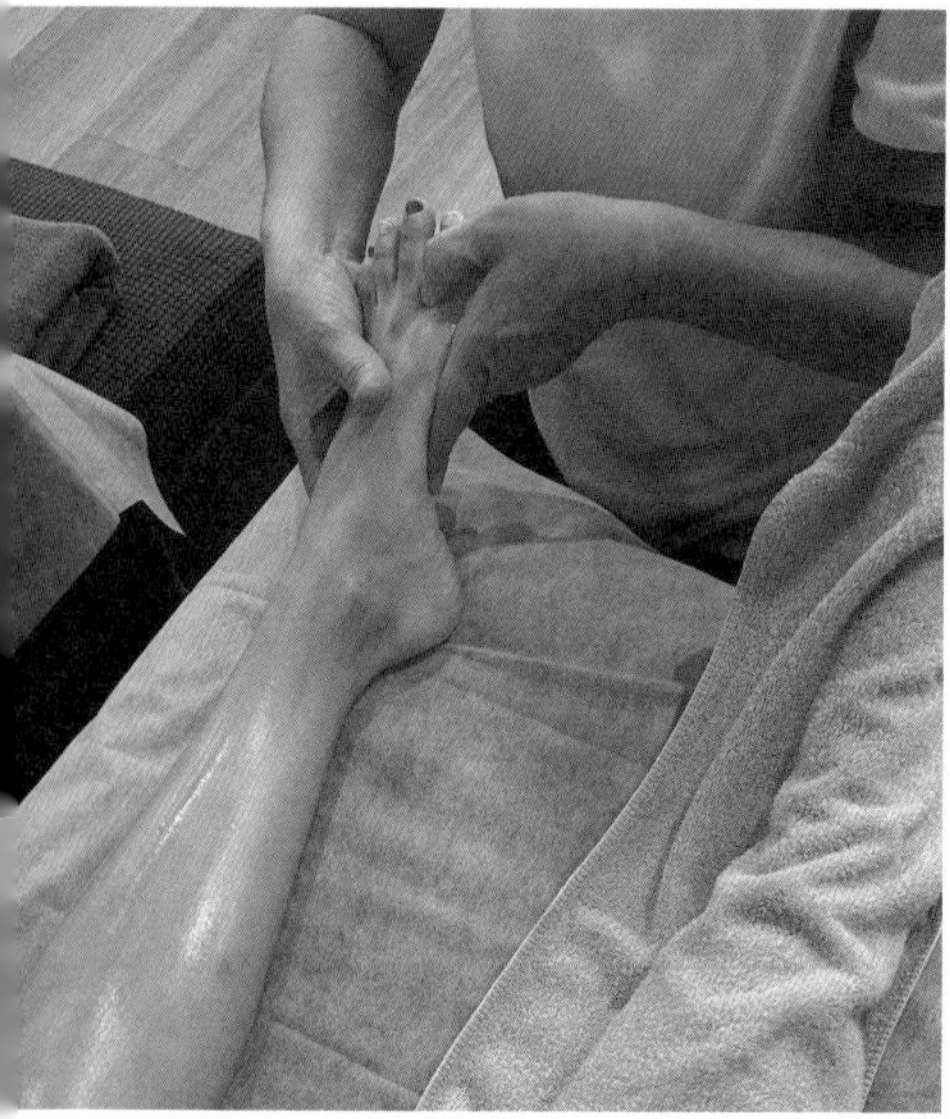

足ツボだけでなく、全ての施術に生姜パウダー入りのフットバスがつく。さらに100元払うと、マッサージに生姜オイルを使用できる。

伝統療法カッサとカッピングで体の弱点を知る！

価格表

40分 480元／50分 600元／70分 900元
（10分間の生姜フットバスを含む）+100元で、カッサやカッピングも可能

生姜と漢方を8時間以上煮出した生姜茶をサービスしてくれる。

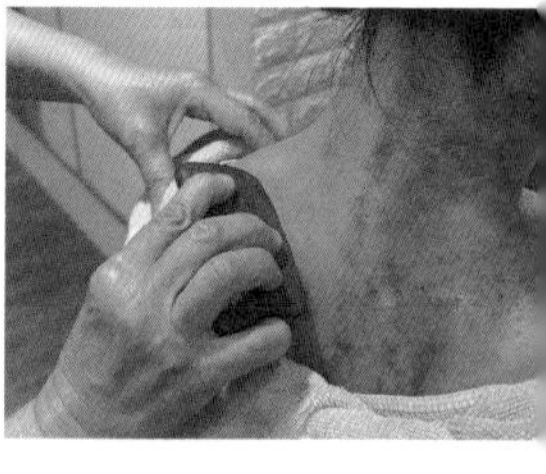

赤くなるよ！

施術を受けた箇所は真っ赤に。健康状態によって色が変わる。濃いほど体調不良といわれる。

原始點養生館

ユエンシーディエンヤンショオングゥアン

身体を温めることが特に重要、という信念を持つお店。

台北市中山區八德路二段326號

10:00-1:30　休 無休

冷えと疲れを同時にケア

じんわり整う本場のお灸

夏が長く、日本よりも気温が高い台湾ですが、効きすぎたエアコンや食事の関係で、身体は思ったよりも冷えています。冷えた身体を温める方法はいくつかありますが、ここでは、自然治癒力を高め、美容にも効果的な艾灸をご紹介します。

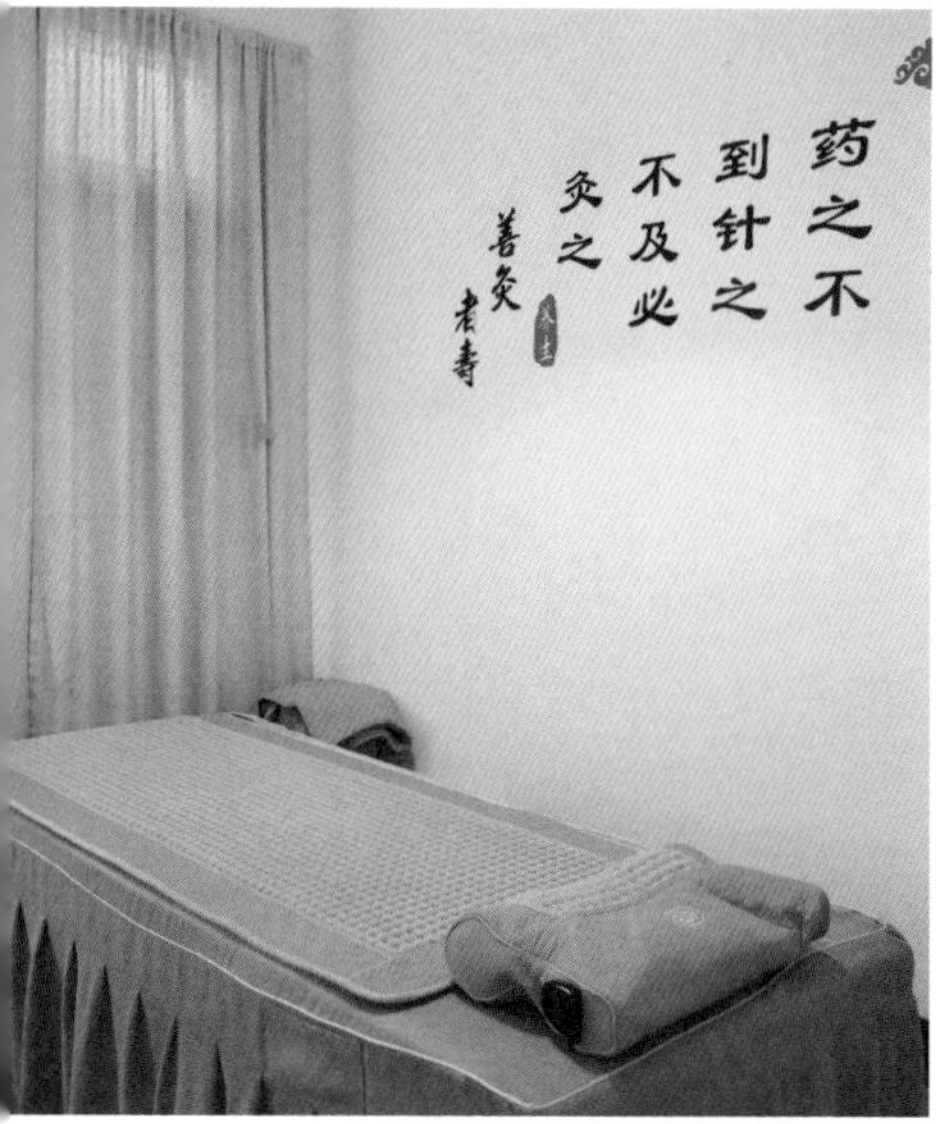

お灸というと、素肌に直接乗せるものが一般的ですが、ここではより専門的な道具を使います。身体の中まで熱をしっかり届けてくれる。

価格表

全身艾灸（全身お灸）	60分	1500元
小兒艾灸（子どものお灸）	60分	1200元
艾灸＋推拿/油壓（お灸＋指圧/オイルマッサージ） 90分		2000元

身体をほぐすマッサージ後、いよいよお灸に。経絡をあたため、血行を促進させることで、美肌効果も。

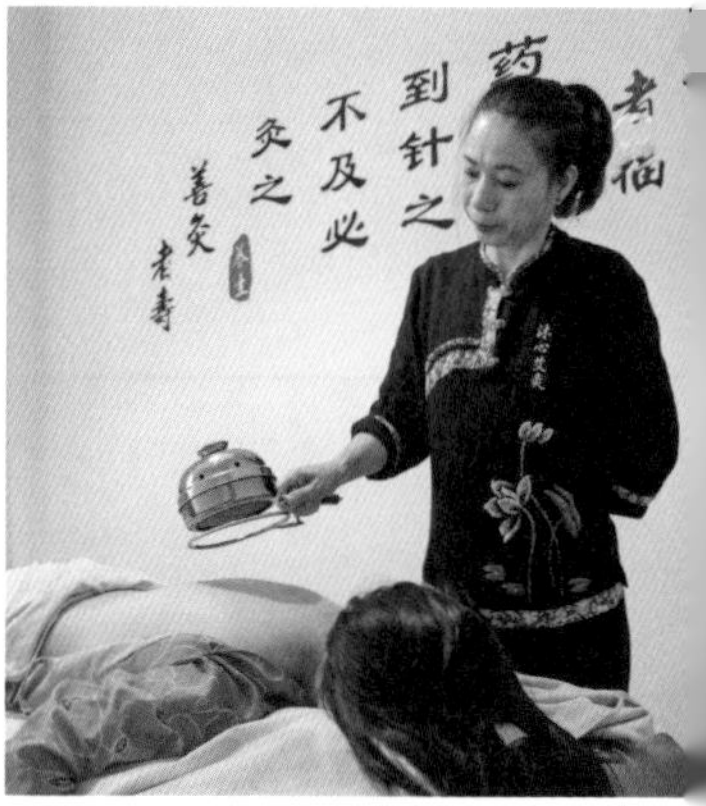

沐心艾灸經絡養生堂

ムーシンアイジュウジンルオヤンショオングゥアン

施術の他、家庭用のお灸などを購入することもできる。

台北市信義區光復南路419巷100號　9:00-21:00
㊡無休

 お店の場所はP.121からのQRコードをご参照ください。

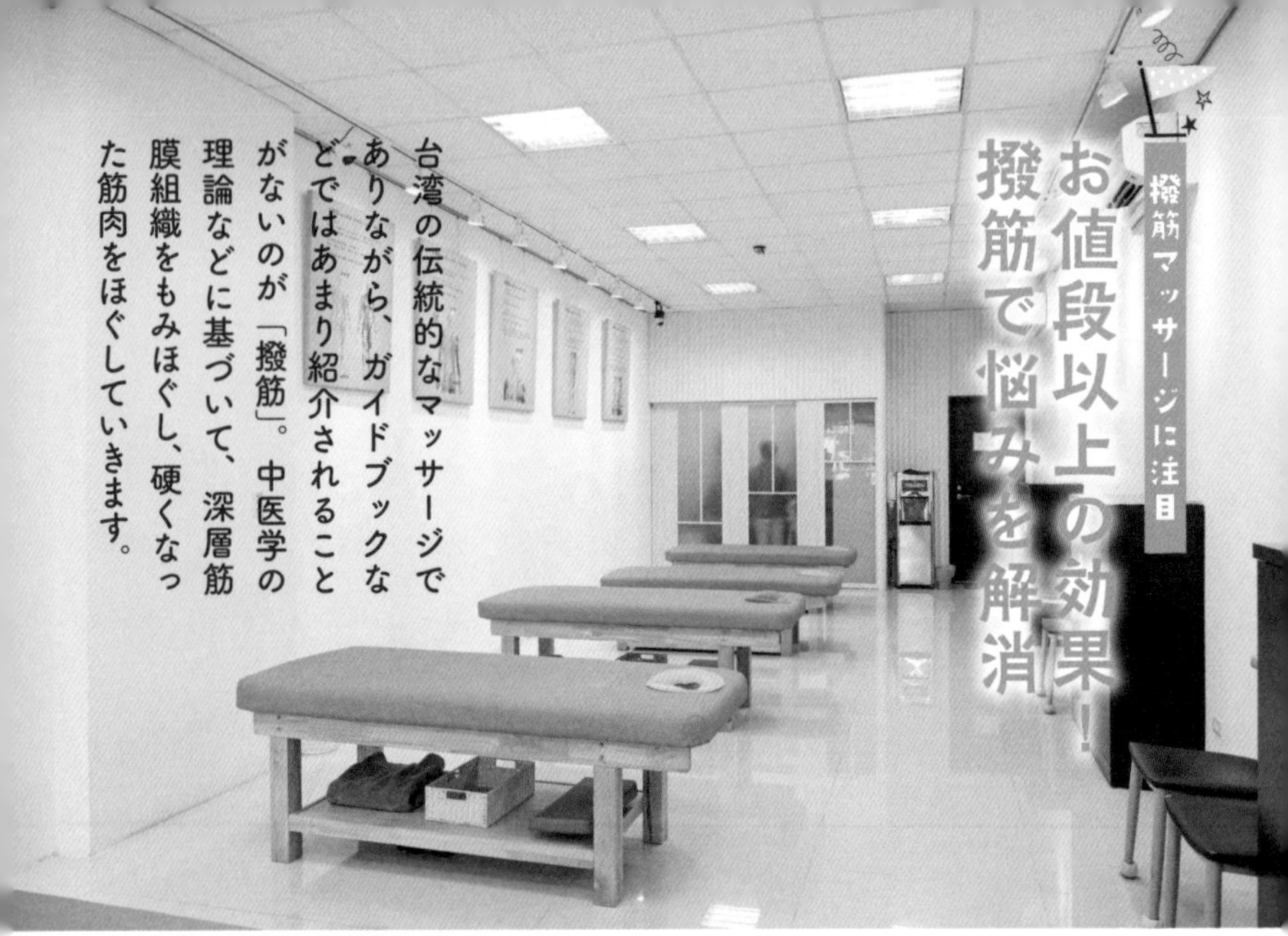

撥筋マッサージに注目

お値段以上の効果！撥筋で悩みを解消

台湾の伝統的なマッサージでありながら、ガイドブックなどではあまり紹介されることがないのが「撥筋」。中医学の理論などに基づいて、深層筋膜組織をもみほぐし、硬くなった筋肉をほぐしていきます。

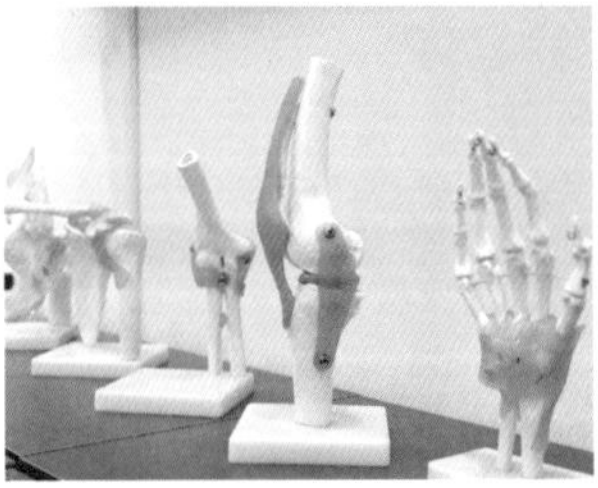

ひとりひとりの骨格に合わせて、筋肉と骨の両方を調整し、不調を改善していく。ここにしかない技術を求めて、海外からも患者が訪れる。

価格表

針對腰.臀局部調理（腰やお尻）25分 900元／針對頭.肩.頸局部調理（肩や首） 25分　900元／針對上半身(頭.肩.首.腰) 50分　1550元／針對下半身(腰.お尻.足) 50分　1550元

疲れの原因であるコリを潰しながら、根本にある原因を取り除く。痛いけれど、確実に効く。

台北撥筋堂羅斯福路店

タイベイボージンタンロースーフーディエン

天母や士林など台北市内に5店舗。台中や新竹にも。

📍台北市中正區羅斯福路三段2號
🕒月曜日～木曜日10:00-22:00 金曜日14:00-22:00 日曜日10:00-18:00　㊡無休

撥筋マッサージに注目

劇的ビフォアアフターを叶える撥筋フェイシャル

中医師が開発した伝統治療を、美容に応用したのが撥筋フェイシャル。カッサと似ていますが、原理も施術法も違います。即効性バツグンなので、大事な予定の前日に訪れる台湾女子が続出。

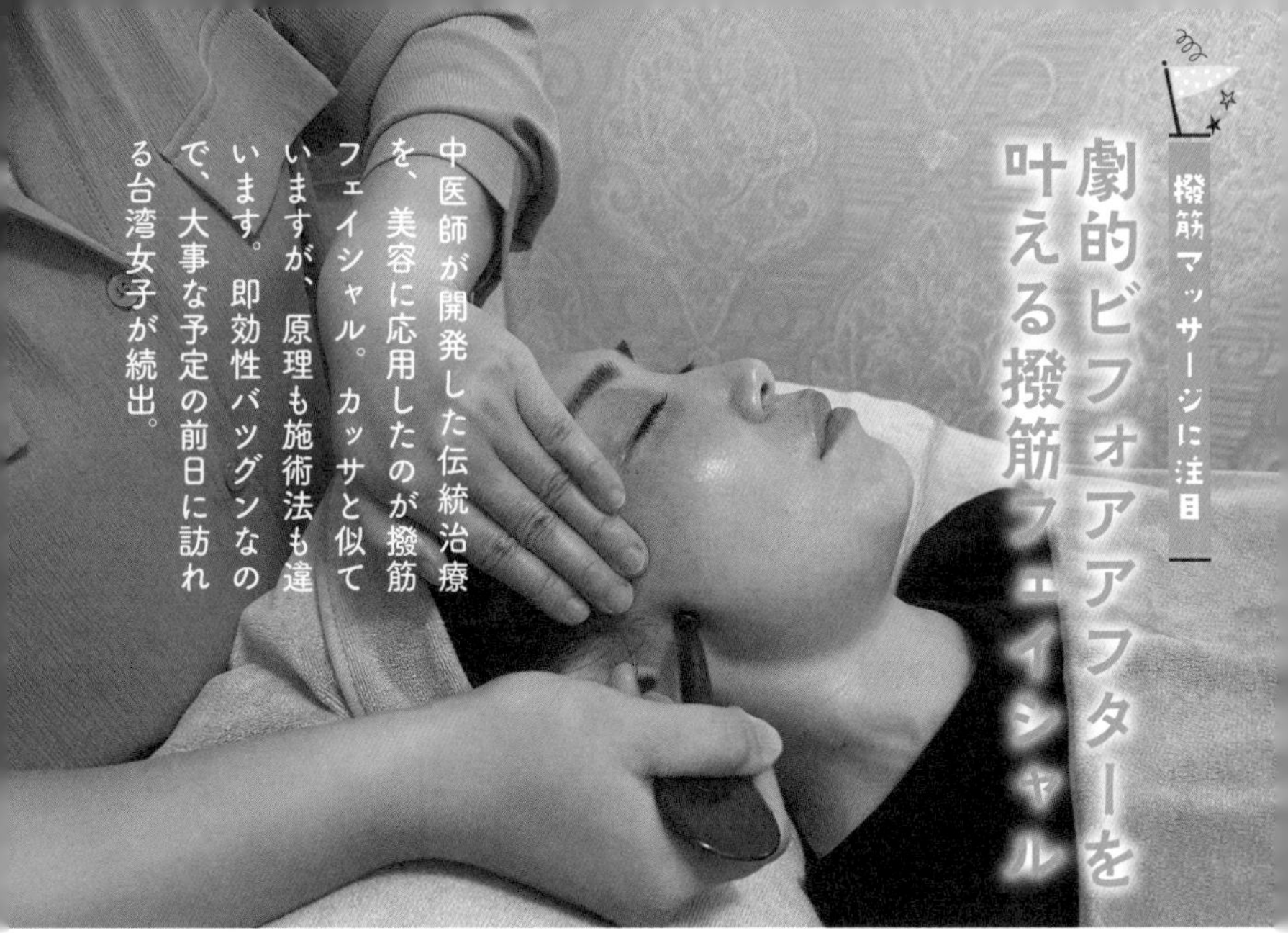

使用する器具。プレートを上下に動かし、筋肉の奥深くをほぐすのが撥筋フェイシャル。対してカッサはプレートを同方向に滑らせる。

価格表

撥筋フェイシャル　50分　1200元
80分　1800元 ※首、肩、頭のマッサージ、フェイスパック付き

イヤーエステも人気。クジャクの羽を振動させて顔に当てることで、リラックスして耳かきに挑める。

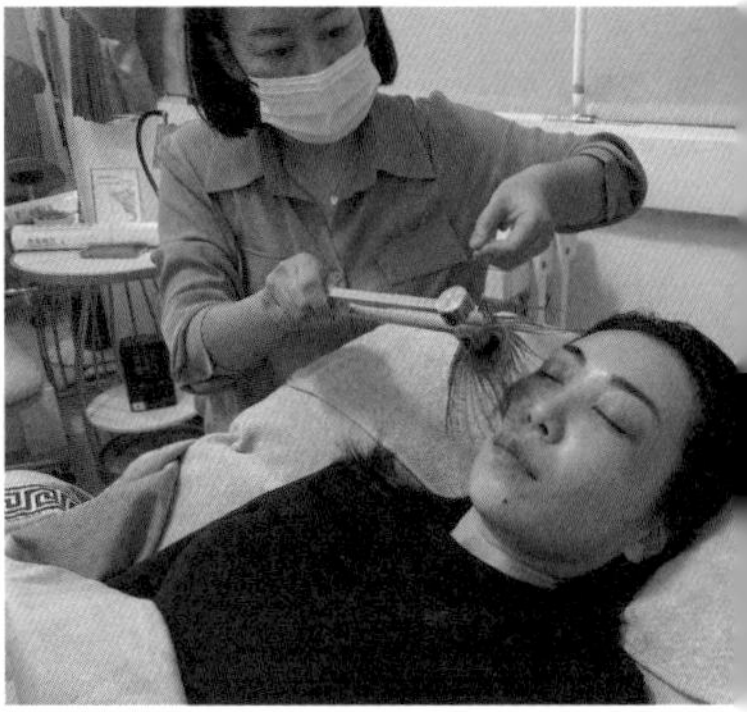

DN朵恩采耳美妍

DNドゥオエンツァイアルメイイエン

東門駅1分。つい眠ってしまうような癒しの空間。

台北市中正區信義路二段91號8F-3　月曜日～土曜日11:00-19:00　㊡日曜日

お店の場所はP.121からのQRコードをご参照ください。

末端まで美しく

センスと技術に大満足。台湾ネイルを思い出に…。

台湾感あふれるネイルアートも、現地ならではのお手頃価格。帰国後も、指先を見るたびに台湾気分に浸れます。

客家の花柄や、お酒のパッケージなど、ザ・台湾なデザインに気分が高まる。

台湾のレトロな窓ガラス風のモチーフが新鮮。どんな服とも相性良し。

まるでマジョリカタイルのような花柄アートに乙女心がくすぐられる。

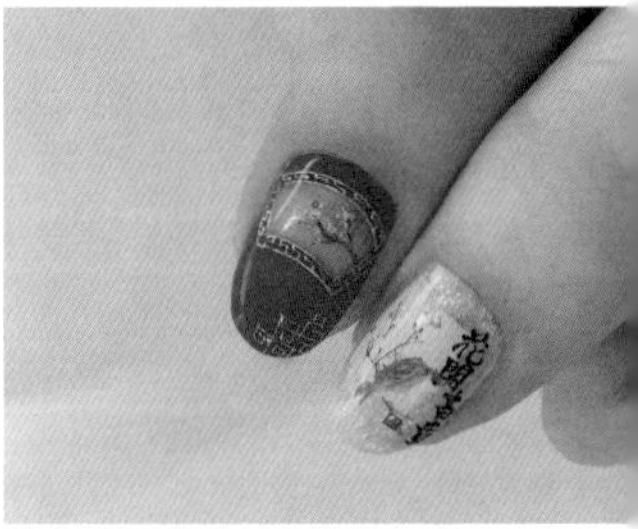

繊細な中国絵画もネイルアートに。花蝶画は華やかなシーンにもピッタリ。

春節やクリスマス、中秋節など、季節にまつわるモチーフも見逃せない。

手描き感あふれるアートも可愛い。タピオカやフルーツなどで台湾らしく。

No15 Nail & Lash美甲美睫 士林店

メイジャーメイジエシーリンディエン

台北最大の夜市「士林夜市」内にある人気のサロン。外国人利用者も多い。

台北市士林區文林路146號2樓 12:00-21:00 (休)無休

価格表

ワンカラー 1300元
アート1本〜 150元/350元/400元
(難易度により変動)
他店オフ：手300元/足400元

末端まで美しく

中華な目元に存在感 台湾流マツエク

台湾では、まつ毛は濃密に仕上げるのが人気。いつもよりすこし濃い目でも、台北の街並みや色使いの中では意外としっくり馴染みます。チャイナシューズや刺繍バッグなどシノワズリ系の小物とも相性バッチリ。

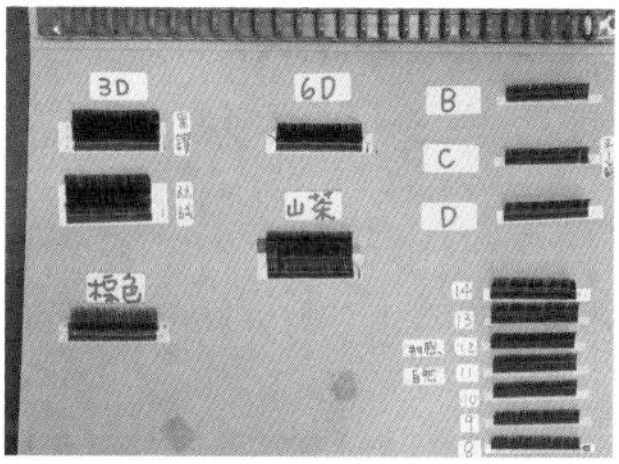

実際にサンプルを見て、触って、選ぶことができる。Google翻訳を使って、目の形やまつ毛のカールに合わせてアドバイスしてもらえる。

価格表

3Dマツエク150本1099元　200本1399元
6Dマツエク　400本1499元
500本1699元

今回はたっぷり200本装着。それでも施術は1時間程度。観光の合間に無理なく組み込める。

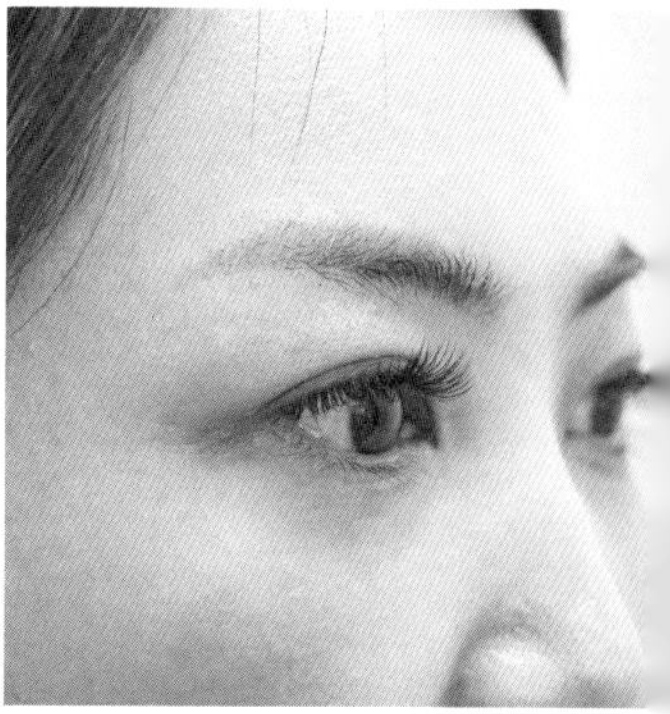

梨花藝術美睫紋繡京站店

リーファーイーシューメイジエウェンシュウジンザンディエン

台北駅すぐの便利な立地。ネイルメニューも人気。

台北市大同區承德路一段20號2樓　12:00-20:00
休 無休

ドラッグストアで買える

使えるプチプラ美容アイテム

台湾のドラッグストアでは、薬は大きなお店でないとほとんど買えません。オムツや米なども買えません。売っているのは、シャンプーや基礎化粧品、コスメなどが中心。美意識高めな台湾ドラッグストアで買いたいアイテムをご紹介します。

［heme］
校色遮瑕盤2.1g
249元
シャオサージャーシャーパン

色もタッチもIPSAに似てる！という声が続出しているhemeのコンシーラー。Hemeのアイテムはどれも優秀。

［ZA］
細芯睛彩雙頭眉筆　179元
シーシンジンツァイシャントウメイビー

日本市場から撤退したZaが台湾では今も健在。とにかく描きやすくて落ちにくいと評判のアイブローペンシルは特に人気。

［1028］
星光閃爍眼影臥蠶筆
204元
シンガンシャンシュオヤンインウォーツァンビー

3秒で自然な涙袋が完成するという涙袋ライナー。なめらかさと絶妙なパール感が魅力。売れすぎて一時期は入手困難に。

［雪芙蘭］
膠原蛋白豐潤護唇膏2g　99元
ジャオヤンタンバイフェンルンフーチュンガオ

安いのに高見えすると話題の色付きリップ。シアバターやビサボロール配合で唇に栄養を与えながらしっかり保湿。全8色。

［Solone］
訂製舒芙蕾海綿/扇形
89元
ディンジーシューフーレイハイミェン/シャンシン

シリーズ販売枚数10万枚を突破したSoloneのメイクスポンジ。ふんわり、もちっとした質感が気持ちいい。

［NARUKO］
茶樹神奇痘痘黑面膜
8枚入り　299元
チャーシューシェンチードウドウヘイミエンモウ

「最高の品質、手頃な価格」を謳うNARUKOのニキビ肌用マスク。余分な皮脂を吸収してくれる。

家家生醫［七日孅］
499元
チーリーチェン

7種で痩せると話題になった新陳代謝を高めるお茶。甘くて飲みやすい。医師が開発。

［活沛多］紅豆精華水
30包入 269g元
ホンドウジンフアーシュイ

むくみや冷え改善に有効な紅豆水。煮た小豆を粉にしてあるので、お湯を注げばすぐ飲める。

ドラッグストアで買える

日本より安いお馴染みアイテム

日本で普段使っているものが、台湾ではさらに安い、というパターンもあります。この機会に、まとめ買いしては？

プリマヴィスタAnge

プリマヴィスタの台湾版は日本のものより断然おトク。使い心地はほぼ同じ。

カラコン

実は台湾製のものが多い日本のコンタクト。台湾では、処方箋なしで度入りが買える。

ラロッシュ　ポゼ

日本で売り切れが続くB5クリームなども入手しやすくお手頃。大人だけでなく赤ちゃんにも◎

メイベリン

メイベリンのSPステイシリーズも日本より安い。買一送一(P118)を利用すればさらにおトク。

こんなものアリ

整形未満のおプチ施術

素肌がキレイな人が多い台湾。湿度が高いので肌が乾燥することが少ない、という理由もありますが、こんな施術が普及していることも理由のひとつかもしれません。

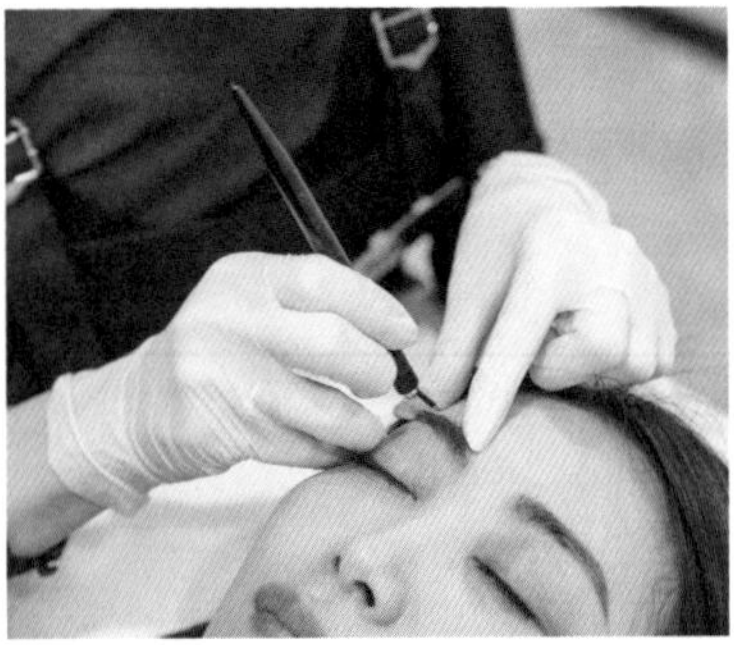

日本では医療行為に指定されているアートメイクも、台湾ではエステ感覚で受けられる。

MRT忠孝敦化駅3分、忠孝東路4段に位置する「NSB紋繡美學」には、男性芸能人も訪れる。アート眉毛の客層も女性より男性が少し多い。価格は8000元以下。

眉毛はアートメイクが一般的

気温が高い台湾では、眉毛を描いてもすぐに汗で流れてしまう、ということがよくあります。そんな悩みを解決してくれるアートメイクは、男女ともに根強い人気。

今回訪れたのは「忠孝浄妍医美診所」。MRT忠孝敦化駅3番出口から徒歩1分。レーザーの他、外科的手術にも対応。待合室はシンプルで洗練された空間。

レーザー美容もハードル低め

台北の街を歩けば、至る所で目にする美容整形の広告や看板。施術に対するハードルもそこまで高くなく、カップルや夫婦が気軽に訪れる様子もよく目にします。

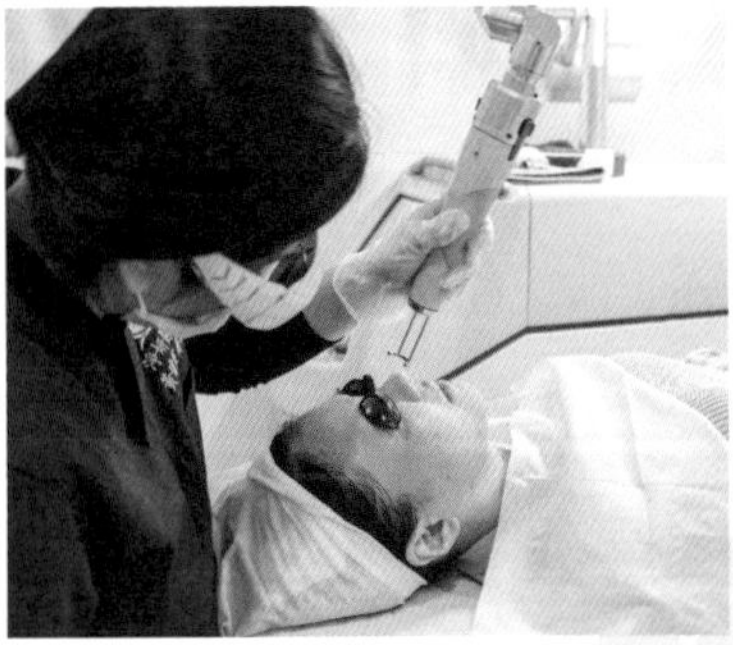

肌質改善などに有効とされるピコレーザーの施術中。軽い痛みがあるが耐えられない程ではない。

日本、台湾の薬事法を鑑み、このページで紹介したスポットは巻末のQR一覧には入れておりません。

Chapter 5

TAIWAN Travel

事前準備

おさえておきたい台湾コスパ術

台湾最高！

円安時代におトクなチケットを入手する

旅行を計画する際、まずチェックするのがエアチケットの価格ですよね。新型コロナウイルス感染拡大前と比べると、チケット価格はだいぶ高くなりました。少しでも安く入手するためには、各航空会社や旅行サイトでの比較が欠かせません。

ＬＣＣが安いとも限らない

チケットの比較におすすめなのは、Ｇｏｏｇｌｅフライトやスカイスキャナー。全ての取り扱い会社の中から検索してくれるので、最安値を知ることができます。ただ、ＬＣＣの場合、表示されているのは純粋にチケット料金のみ。ここに、預け入れ荷物や座席指定を追加すると、一般航空会社と差がなくなってくることも多々あります。それを踏まえた上で、個人の旅行スタイルに合わせてチケットを選びましょう。

おトクな旅行時期

時期としては、日本、台湾の連休明け、梅雨時期（４月半ば～６月）が安い傾向にあります。

特に春節の連休明けの2月は、冬の雨季も少し落ち着き、暖かく感じる日もあり、極寒の日本から来るとトクしたような気分になると思います。台湾の人は、春節前に買いものを済ませているので、迪化街（P60）や南門市場（P51）も空いています。

地雷ツアーで損しない

短い旅行期間であれば、ホテルがセットになったツアーを利用するのも旅費を安くおさえる手段です。その際に注意すべきは宿泊場所。特にホテルランクが3つ星の時。台湾のホテルの場合、3つ星といっても日本の感覚でいえば2つ星くらいのグレードと考えたほうがいいでしょう。湿気の多い台湾では、カビの匂いや家具の歪みを防ぐには、それなりの設備やお手入れが必要になってきます。快適に過ごすには4つ星以上をおすすめします。

中正紀念堂の衛兵交代式

コスパ◎なホテルを選ぶ

台北市のホテルが、今とっても値上がりしています。少なくともコロナ前の倍にはなっている様子。そこでおすすめしたいのが、新北市のホテル。台北市という枠を外しただけで、けっこうおトクに泊まれたりするのです。

狙うは新北市のホテル

新北市と聞くと、なんとなく「遠いんじゃない?」という印象を持つ人が多いのではないでしょうか。ところが実は、台北の中心地から近く、とても便利なんです。どのくらい近いかというと、台湾の交通の中心地である台北駅から、地下鉄板南線に乗って、隣の西門駅、その隣の龍山寺駅を過ぎると、そこはもう新北市、江子翠という駅です。そこから2駅進むと、新北市のターミナル駅である板橋駅に到着。ここまで台北駅からたった5駅、15分もかかりません。板橋駅からは、新幹線や台湾鉄道にも乗れるし、バスに乗るにも路線が豊富です。ショッピングモールや飲食店、観光スポットも充実。それでいてローカル感もある魅力的なエリアなのです。

新北市(板橋)の利便性を熱く語ったところで、ホテルの価格についてもみてみましょう。

台北と板橋どちらにもある、日本人に人気の5つ星ホテル・板橋凱撒大飯店(シーザー パーク

ホテル）を例に比べてみます。（Agoda比較、2か月先の祝日が被らない土～月曜）

台北：約4200元／泊　板橋：約3500元／泊

2泊するなら、約1400元もおトク。台北までのMRT料金は25元ですから、それを含めても断然リーズナブルですよね。特に狙うべきは中～高級ホテルです。おすすめはこちら。

傑仕堡有氧酒店

台北の半額以下で泊まれる4つ星ホテル。

板橋車站より徒歩5分

大浴場あり2912元2／泊～

ホテルよりお得なホステルがおしゃれに進化！

お手軽に泊まれるホステルが増えています。ホステルと聞くと、カプセルホテルの延長のようなイメージが強いかもしれませんが、最近のホステルは台北のリノベーションブームに乗って、オシャレに寛げる空間に進化しています。例えばこんなところがあります。

漫歩1948（マンブー1948＝Meander 1948Hostel）

1248元～

モダンな建築で話題のリノベーション物件。

台北老屋新生というリノベーションのコンテストで金賞を受賞しました。

複数の予約サイトを比較

ホテルもエアチケットと同じで、複数の予約サイトを比較して料金を比べることが大切です。やり方は簡単。Googleなどで「板橋　飯店)」と検索すればずらっとでてきます。飯店はホテルを意味する中国語です。

旅行前にダウンロードしておきたいアプリ

旅行中、アプリがあれば省ける手間は多いです。そのぶん時間を有効活用して、短い滞在期間をより充実したものにしましょう。ここでは渡航前にダウンロードしておくと重宝するアプリをご紹介します。

Google翻訳（無料）

まずは基本のGoogle翻訳。写真に撮った文字も翻訳してくれるので、街中でわからない表示やメニューがあったときに便利。

KKday（無料）

旅行先での「これがしたい！」を網羅する旅行アプリ。ＳＩＭカードや台北メトロ・台湾新幹線の割引チケット、ツアー予約、レストラン予約などの手配ができます。

Charge SPOT（無料）

日本でもよく見る、モバイルバッテリーレンタルのアプリ。会員登録してあれば、アプリ内で地域を切り替えるだけで台湾でも使用できます。ＭＲＴの駅やファミリーマートをはじめ設置場所多数。

台北捷運Go（無料）

台北メトロＭＲＴの公式アプリ。出発地と到着地を路線図から選ぶだけで、乗換経路や時間。料金を一瞬で検索可能。出口情報や駅施設、始発終電、運行情報などもチェックできる優れモノ。

Google Map（無料）

定番の地図アプリ、Googleマップは、オフラインでも使えて便利。行きたい場所を含む地図はあらかじめオフライン用にダウンロードしておきましょう。

Uber（無料）

台湾ではあると便利なUber。といっても出前ではなく、配車サービスのこと。事前決済なので、降りる時にあたふたとお金を出し入れする必要がない上、ぼったくられる心配もありません。呼ぶときに目的地を入力するので、言語の問題もクリアできます。台北市内では呼んでから5分以内で車が到着することがほとんどです。

You Bike（無料）

台湾のレンタサイクルU-bikeの公式アプリ。利用するためのクレジットカード登録や、レンタル時のQRコード読み込みなどに使用するため、事前のダウンロード・登録がベター。

Uber eats（無料、要会員登録）

スクーター社会の台湾では、Uber eatsが充実！　対応している飲食店も、高級レストランから夜市の屋台まで何でもアリ。レストランだけでなく、スーパーや雑貨店、ドラッグストアもあるので、お土産を買うにも重宝します。日本で会員登録をしているユーザーは台湾でもそのまま使用可能。

入国前に済ませておきたいこと

先にやっておくと、飛行機を降りてからが楽になる手続きがあります。スムーズに入国できたり、５０００元（約2万5０００円）ゲットのチャンスがあったりと、良いことばかりなので、ぜひ前日までに済ませましょう。

オンライン入国申請

台湾入国手続時に提出が必要な「台湾入国カード（入境登記表）」。台湾移民署のホームページから電子入国オンライン登録をしておけば、入国前に記入する手間が省けます。

常客証を取得

頻繁に台湾を訪れるなら、ぜひ「常客証」を。常客証とは、直近12カ月で3回以上台湾を訪れた外国人に対し発行されるツール。出入国審査の際に専用レーンを利用することができ、長蛇の列に並ばずに出入国審査を通過できます。台湾移民署のサイトから必要情報を登録するとすぐに常客証が発行されるので、プリントアウトしてパスポートと共に持参してください。有効期限は発行後１年間です。

5000元が当たる!
外国人旅行者抽選キャンペーン

台湾に入国するだけで5000元が当たる、という太っ腹なキャンペーン! 入国日前日までに事前登録し、到着後に空港の専用カウンターで登録時に発行されるQRコードを読み込むだけで抽選に参加できます。こちらはなかなか当選率が高いようで、7人の家族旅行で2人当たった! という声も。参加しない手はありません。事前登録は台湾交通部観光署の公式サイト(https://5000.taiwan.net.tw/index_jp.html)から。(2024年3月時点、2025年6月30日まで)。

日本円から台湾ドルに両替あれこれ

クレジットカードや電子決済が普及している台湾ですが、夜市や屋台、市場などでは現金しか使えないことがほとんど。円安が続く今、やはり少しでも好条件で両替したい！　ということで、両替場所を、レートが良い順にご紹介します。

実は一番おトク。クレカでキャッシング

クレジットカードを利用し現地ＡＴＭで台湾元を引き出す方法も。キャッシング扱いにはなりますが、実は一番レートが良いといわれています。日本出国前にカード会社のサイトなどで使用方法や手数料をチェックしておきましょう。

★注意点

台湾のＡＴＭで現地通貨を引き出す場合、限度額は1日2万元までになります。それより多く引き出したい場合は、別のカードを使用してください。

また、両替にも限度額があります。銀行は1日に10万元までと決まっています。

台湾の街中の銀行

一番レートが良いのが、街中にある銀行での両替ですが、銀行によってレートが違うのが難点。日々変わるのですが、平均して、玉山銀行のレートが良い印象です。手数料に関しては、台湾銀行であれば無料。他は１００元、または両替金額の0.5〜１％がかかるところもあります。

台湾の郵便局

郵便局での両替は、銀行のレートより少し劣りますが、手数料がかからないのでトータルではあまり差がありません。中でもおすすめなのが台北駅構内の郵便局です。外国人利用者が多いため、スタッフも両替に慣れていてスムーズ。さらに平日の8時半〜18時半まで、土曜日の9時〜12時までと銀行よりも営業時間が長いのも助かります。

台湾の空港

多くの人が空港で両替をすると思いますが、レート的には、街中の銀行と比べると少しだけ割高です。さらに兆豊銀行でも台湾銀行でも30元の手数料がかかります。しかし、制限区域内であれば24時間両替が可能。すぐに現金をゲットできるのは便利ですよね。

他には、ホテル、銀樓（宝飾品点）、日本の空港などでも両替できますが、総じてレートが悪いので、選択肢からはしっかり外しておきましょう。

両替とは違いますが、街中のＡＴＭを使って台湾ドルを引き出す方法もあります。

どうするWi-Fi？ 台湾の通信事情

台湾は日本に比べて公共の無料Wi-Fiが充実しています。しかし、使える場所が限られていたり回線が不安定だったりするため、これらに頼りきるのは危険。自分で通信手段を確保するほうが、行動の幅が広がります。

現地でSIMを購入

台湾の空港で到着ゲートを出ると、「中華電信」、「台湾大哥大」、「遠傳電信」など、通信会社のカウンターが数件並んでおり、プリペイドSIMの販売を行っています。価格は、中華電信なら5日まで３００元、７日５００元。台湾大哥大だと６日４００元などがあります。中華電信や台湾大哥大のプランでは、台湾の電話番号も付与されます。無料Wi-Fiの接続など、電話番号を求められることも意外と多いので、あると便利。クレジットカードでの購入が可能です。

インターネットでSIMカードを購入

Amazonや楽天、KKdayなどでSIMカードを事前に購入する方法です。たとえばAmazonでは、台湾向けの4G使い放題が３日間で９５０円。ギガ数が１GB、２GB、３GB…と細かく選べることが多いです。とにかく節約したい人や、調べ物はホテルで！という人は１日２GBあたりの定量型でも十分。出かけた先でもＳＮＳを利用したい人や、Googleマップを常に活用したい人は無制限が良いでしょう。

★注意点

ＳＩＭを入れ替える場合は、スマホがＳＩＭロック解除になっていないと使用できません。旅行前にチェックしておきましょう。

カード交換が不要なe-SIMがおすすめ！

e-SIMとは、スマホ本体に内蔵されたＳＩＭのこと。本体のICチップに直接識別情報を書き込むため、カード交換の必要がありません。購入後、メール等でＱＲコードが届くので、設定方法に沿ってＱＲコードを読み込みＳＩＭ情報を登録すればすぐに使用できます。価格は３日間使い放題で約７００円〜と、紹介した中では最安。かつ、受け取りの手間が不要なので利便性もばっちり！

現地での移動手段と割引プラン

以前は、何を買っても日本より安いことが多かった台湾ですが、今は事情が違います。お弁当でさえ日本と同じか、ものによっては高いかもしれません。そんな中で、確実に日本より安いのが交通費。割引プランも含めてご紹介します。

MRT（台北メトロ）

台北エリアでのメインの移動手段となるのがMRT。ほぼ日本の地下鉄と同じですが、気をつけなければいけないのは飲食禁止であること。改札の手前に黄色い線が引いてあり、その先は飲み物、飴などを含め飲食が一切禁止されています。違反が発覚した場合、罰金となるので気を付けて（赤ちゃんや幼児はOKです）。また、優先席である「博愛座」に座ることも遠慮しましょう。優先席に限らず、台湾人は、年配者や小さい子に席を譲るスピードが本当に速いです。わざわざ遠くから声をかけにいくくらい、助け合いの精神が根付いています。

MRT割引プランいろいろ

●フリーパス

ワンデーパス180元、2デーパス310元など5デーまで。対象が台北市内MRTだけのもの、台北市と新北市のバスも利用できるものなど種類は様々。周遊プランも豊富なので、MRTの公式サイト「Metro Taipei」の「乗車券、旅行券」のページからチェックしてみてください（日本語あり）。

●桃園メトロパック乗車券

空港MRT往復乗車券とMRTフリーパスのセット。MRTは48時間と72時間があり、それぞれ520元／600元。空港MRTが片道150元なので、実質220元で2日間乗り放題に（48時間タイプの場合）。

公車（市内路線バス）

台湾で生活する人の移動手段の要となっているのが「公車」と呼ばれる路線バス。この公車、初乗り15元であらゆる場所へ行くことができ、便利は便利なのですが、全て中国語であったり、運転の荒いドライバーがいたりもするので、旅行者にはハードル高め。また、台湾では、バスは手を上げないと止まってくれません。

客運（高速バス）

中・長距離のバス。桃園、基隆など台北近郊から、中部は南投、阿里山、南部は台南、高雄などたくさんの路線があります。運賃も非常にリーズナブル。例えば國光客運という会社では、台北〜台中は約2時間40分で350元、台北〜高雄は約4時間30分で560元。新幹線より時間はかかりますがコストは抑えられます。また新幹線にはない早朝、深夜の運行があるので時間を有効活用したい人にもおすすめ。

客運割引プラン

KKdayでは、桃園国際空港〜台北市内の往復チケットが240元と、通常往復318元から25%引きに。Klookでは各路線のチケットを販売しており、路線にもよりますが約10%引きで購入が可能です。

●悠遊卡

MRT、バス、高速バス、You Bikeを利用する上で欠かせないのが悠遊卡です。悠遊卡とは、日本のSuicaのような交通ICカード。コンビニやカフェなど色々なお店で　使える上に割引サービスもあるので、持っていないと逆に損！

悠遊卡の割引サービス

●バスとMRTの乗換時、1時間以内なら8元引き

●You BikeとMRTの乗換時、1時間以内なら5元引き

タクシー

台湾では小黄（黄色ちゃん）と呼ばれるタクシー。料金は安く、10分乗車でおよそ１５０元程度。台北市内の移動なら遠くてもだいたい３００元以内で収まります。さらに、日本語が少し話せる運転手さんもいます。中にはおいしいお店を教えてくれる人も。運がよければ出会えるかもしれません。

★注意点

運転が荒いドライバーもいるので、タクシーを捕まえるときには注意が必要。できるだけ新しく綺麗な車体を選べば、そんなドライバーに当たる確率は低いです。心配なら、Uberを利用するのがいいでしょう。表示灯に「台灣大車隊」と書いてある会社のタクシーも安心です。

You Bike

30分ごとに10元で借りられる、台湾全土にある公共レンタサイクル。２０２４年2月末から、台北市では最初の30分が無料になりました！ＭＲＴやバスの駅付近を中心にステーションが多数あり、どこで返却してもＯＫという便利なシステム。貸出や返却の際は、公式アプリで

QRコードを読み取って使用します。

台湾新幹線（台湾高速鉄道）

台北と高雄を繋ぐ新幹線。台中や台南・高雄への利用はもちろん、桃園までたったの20分、160元で行けてしまうのも魅力です。私の場合は、桃園の水族館『Xpark』に行くときはいつも新幹線です。

外国人向け新幹線割引プランいろいろプラン

●3日周遊券

3日間の間、乗り放題で2200元。台北―台南が片道1350元なので、南部へ出かけるなら絶対に使うべき！

●フレキシブル2日パス

7日間の間で好きな日を2日選び、その日に限り何回でも乗り放題。2500元。

●片道2割引

どの区間でも、2割引きの値段で購入可能。嘉義や台中などへ行くならこちらがお得。

これらは、台湾高速鉄道の公式ホームページや、KKdayからも予約が可能です。

乗車前に駅の窓口で乗車券と引き換えて使用。引き換え時にパスポートの提示が必要です。

チャータータクシー

電車やバスを乗り継ぎ、自力で観光スポットを回るのも良いですが、時間のロスなく、快適に動くのであれば、チャータータクシーも選択肢に入れると良いでしょう。小さな子どもやお年寄りがいる場合にも重宝しますよ。あまりピンとこない人のために、今回取材でお世話になった「リリ・台湾タクシーチャーター」（日本語ＯＫ！）の例を出してみます。

まず料金は、基本的には1時間６００元。日本語可能なドライバーを指定する場合は８００元となります。また、女性ドライバーの指名をすることもできます。車内にはＵＳＢポートが設置され、スマホの充電が可能。お水のサービスや傘の準備もあるので、快適に移動することができます。希望があればチャイルドシートも手配可能。1台に最大8名まで乗車可能なので、人数が多い場合はシェアすることでかなりおトクに。新竹や台中などの遠方にも対応してくれます。

買い物するなら覚えておこう

台湾旅行の醍醐味は何とおってもおいしい食べものとお土産探し。ここでは買い物をより上手に楽しむためのコツや、見逃せないおトク情報をご紹介します

セールのしるし!買一送一／折

買い物中に見かける、何やらセールっぽい雰囲気の「買一送一」や「8折」という文字。「買一送一」は、一つ買うともう一つ付いてくる、という意味。つまり半額ということになり、かなりお買い得です。

「折」は〜割引の意味なのですが、たとえば「8折」は2割引き、8割の値段で買えるよ！という意味になります。8掛けですが、8割引きではないので、気を付けて。

レシートは一攫千金の宝くじ!

お会計後にもらうレシート。実はこれ、最高賞金1000万元が当たる宝くじになっています。レシート上部の8桁の数字がナンバーになっていて、奇数月の25日に当選番号が発表されます。特別奨（1000万元）から六奨（200元）まで、財政部のホームページで当選番号が確認できます。コンビニや郵便局で当選したレシートと身分証（外国人はパスポート）を見せればＯＫ。

税金還付

台湾の物販品はすべて５％の内税が含まれているので、外国人は税金還付を受けることができます。税金還付制度（ＴＲＳ）の対象店舗に限り、同一店舗で１日に２０００元以上の買い物をした場合に申請が可能。空港のショップや新光三越など大手百貨店の他、ドラッグストアの「康司美 COSMED」も対象です。

持ち帰りＮＧなおみやげ

台湾にはおいしいものがたくさんあるので、あれもこれもお土産にしたくなるものですが、日本に持ち込めないものもけっこうあります。ここでチェックしておきましょう。

●肉製品

お肉関係はかなり厳しく制限されます。肉乾（ビーフジャーキー）、肉鬆（肉のでんぶ）などはもちろん、肉エキスや乾燥肉が入っているインスタント麺なども基本的にはＮＧです。ただ、レトルトパウチしてある常温保存可能な商品であれば、動物検疫所を通せばＯＫです。一方、魚は制限がゆるめで、しっかり内臓を除去して調理済みであれば、特定の魚（鮭、鯉、ナマズなど）以外はＯＫとなります。

●果物、野菜

生のマンゴーやライチもＮＧです。パイナップルは、数年前は簡単な手続きで持ち込み可能だったのですが、今はこれもＮＧとなっています。乾燥していたり、お酒や砂糖、塩、お酢につけてあったりすれば持ち込み可能。ドライフルーツやジャムはＯＫ、ということですね。

●卵

半熟卵類や卵黄も禁止品目です。中秋節近くに出回る塩漬け卵入りのお菓子（蛋黃酥）も持ち込みＮＧ。パイナップルケーキにもこの卵が入っているタイプがあるので気をつけて。

●24時間買い物できる場所

大手ドラッグストアチェーン「屈臣氏Watsons」や生活百貨「小北百貨」は24時間営業の店舗も多数。狙うは繁華街や夜市のそば。時間を気にせずたっぷりお買い物を楽しめます。

QRコード一覧

本書で取り上げたお店などの場所を、QRコードで示しました。ご活用ください。

1章

P.8

Ⓐ
芙蓉湯包
フーロンタンバオ

Ⓑ
津富倉
ジンフーツァン

P.9

Ⓒ
永康街小籠包40年老字號
ヨンカンジェシャオロンバオ40ネエンラオズーハオ

Ⓓ
湯包洪
タンバオホン

Ⓔ
川畝園麵食館
チュァンムーユエンミィエンシーグアン

P.10

Ⓐ
津津豆漿
ジンジンドウジャアン

Ⓑ
囍宅豆漿
シージャイドウジャアン

P.11

Ⓒ
泰小姐豆漿店
タイシャオジエドウジャアンディエン

P.12

Ⓐ
來來漢堡
ライライハンバオ

Ⓑ
好初早餐
ハオチューザオツァン

P.13

Ⓒ
桔子早午餐
ジューズザオウーツァン

P.14

Ⓐ
麗園壽司
リーユエンショウスー

Ⓑ
御紘福福州魚丸店
リーユエンショウスー

P.15

Ⓒ
楊媽媽潤餅捲
ヤンマーマールンピンチェン

Ⓓ
燕山湯圓
イェンシャンタンユエン

Ⓔ
現作赤肉焿魯肉飯
シィエンズオチーロウゲンルーロウファン

P.16

Ⓐ
川畝園麵食館
チュァンムーユエンミィエンシーグゥアン

Ⓑ
富宏牛肉麵
フーホンニュウローミィエン

P.17

Ⓒ
玖五牛肉麵
ジュウウーニュウローミィエン

Ⓓ
甘記番茄刀削麵
ガンジーファンチィエニュウローミィエン

P.18

Ⓐ
阿田麵
アーティエンミィエン

Ⓑ
賣麵炎仔
マイミィエンイェンザイ

P.19

Ⓒ
古城古早麵
グーチォングーザオミィエン

QRコードがスマホの機種やOSなどによっては読み取りにくい際は、表示させたいQRコードの周囲を指などで隠してお試しください。

Ⓔ
金窗駅讚味飯
ジンチュアンザンザンウェイファン

Ⓕ
一甲子餐飲
イージャーズツァンイン

P.24

Ⓐ
林合發油飯店
リンフェァファーヨウファンディエン

Ⓑ
古城古早麵
グーチォングーザオミィエン

P.25

Ⓒ
丁姐碗粿
ディンジェワーグゥイブ

Ⓓ
柴寮仔米苔目
チャイリャオザイミータイムー

Ⓔ
林合發油飯店
リンフェァファーヨウファンディエン

P.26

Ⓐ
東海自助餐
ドンハイズーズーツァン

Ⓑ
中山自助餐
ヂョオンシャンズージューツァン

P.28

Ⓐ
麵線傳奇
ミィエンシィエンチュアンチー

Ⓑ
一甲子餐飲
イージャーズツァンイン

Ⓒ
川業肉圓
チュアンイエロウユエン

P.19

Ⓓ
林家乾面
リンジャーガンミィエン

Ⓔ
正宗台南意面
ヂョンゾンタイナンイーミィエン

P.20

Ⓐ
現做赤肉焿 魯肉飯
シエンズオチーロウゲンルーロウファン

Ⓑ
滿庭香魯肉飯
マンティンシャンルーロウファン

Ⓒ
咕嚕咕嚕小吃店
グルグルシャオチーディエン

P.21

Ⓓ
滿塘台南虱目魚
マンタンタイナンシームーユー

Ⓔ
隨緣素食
スイユエンスーシー

Ⓕ
冠鼎雞肉飯
グァンディンジーロウファン

P.22

Ⓐ
梁記嘉義雞肉飯
リャンジージャーイージーロウファン

Ⓑ
凱哥放山雞便當
カイグーファンシャンジービエンダン

Ⓒ
嘉義第一名火鶏肉飯南昌店
ジャーイーディーイーミンジーロウファンディエンナンチャンディエン

P.23

Ⓓ
金園排骨萬年店
ジンユェンパイグーワンニェンディエン

Ⓔ
萬華林建發仙草冰燒仙草
ワンファーリンジェンファーシエンツァオビンシャオシエンツァオ

P.38

Ⓐ
施家鮮肉湯圓
ジージャーシェンロウタンユエン

Ⓑ
高麗菜飯原汁排骨湯
ガオリーツアイファンユェンジーパイグータン

P.39

Ⓒ
好朋友涼麵
ハオポンヨウリャンミィエン

Ⓓ
大橋頭老牌筒仔米糕
ダーチャオトウラオパイトンザイミーガオ

Ⓔ
無名推車燒餅
ウーミントゥイチャーシャオビン

P.42

Ⓒ
吉野家 東門店
ジーイエジャー　ドンメンディエン

Ⓓ
サイゼリヤ 薩利亞 信義ATT店
サーリーヤー　シンイー ATTディエン

Ⓔ
丸亀製麵 家樂福重慶店
ワングゥイジーミィエン　ジャーラーフーチョンチンディエン

P.29

Ⓓ
黄福龍脆皮葱油
ファンフーロンツイピーツォンヨウ

Ⓔ
惠安四神湯
ホォイアンスーシェンタン

Ⓕ
阿源煎餅
アーユェンジエンビィン

P.32

Ⓐ
旺角迷你石頭火鍋
ワンジャオミーニーシートォウフオグゥオ

Ⓑ
永吉樂 羊仔湯屋
ヨンジーラーヤンザイタンウー

P.34

Ⓐ
老朋友小酌熱炒
ラオポンヨウシャオズオルーチャオ

Ⓑ
紅翻天生猛海鮮
ホンファンティエンションモンハイシエン

P.35

Ⓒ
鮮定味生猛海鮮
シェンディンウェイションモンハイシエン

P.36

Ⓐ
江記東門豆花
ジャンジードンメンドウファー

Ⓑ
邱太太甜品坊
チュータイタイティエンピンファン

P.37

Ⓒ
懷念愛玉冰
フォアイニンアイユービン

Ⓓ
楊記花生玉米冰
ヤンジーファーションユーミービン

Café hytte
カフェ ヒュッテ

P.54

剝皮寮歴史街區
バオピーリィァオリーシージェチュ

艋舺服飾商圏
モンシァフーシーシャンチュエン

P.55

星巴克艋舺門市（艋舺スターバックス）
シンバーグェアモンシァメンシー

青草巷
チンツァオシィァン

南機場夜市
ナンジーチャンイエシー

P.56

寧夏夜市
ニンシャーイエシー

通化街夜市
トンホワイエシー

P.57

延三夜市
イエンサンイエシー

樂華夜市
ラーファーイエシー

基龍廟口夜市
ジーロンミャオコウイエシー

P.44

指南宮
ジーナンゴン

行天宮
シンティエンゴン

P.45

大龍峒保安宮
ダーロンドンバオアンゴン

龍山寺
ジーナンゴン

艋舺青山宮
バンカチンシャンゴン

P.48

濱江市場
ビンジャアンシーチャアン

南門市場
ナンメンシーチャアン

P.49

東門市場
ドンメンシーチャアン

新埔市場
シンプーシーチャアン

太平市場
タイピンシーチャアン

P.52

三貂嶺生態友善隧道
サンディァオリンシォンタイヨウシャンスェイダオ

P.53

三貂嶺車站
サンディァオリンチャージャン

P.62

新生公園
シンシャンゴンユエン

華山大草原
ホァシャンダーツァオユエン

天母運動公園
ティエンムーユンドンゴンユエン

P.63

相機街
シャンジージエ

台北水族街
タイペイシュイズージエ

文昌家具街
ウェンチャンジャージュージエ

P.64

阿妹茶樓
アーメイチャロウ

水湳洞十三層遺址
シュイナンドンシーサンツェンイージー

望幽谷浜海歩道
ワンヨウグービンハイブーダオ

P.65

和平島地質公園
フーピンダオディージーゴンユエン

基隆塔
ジーロンター

正濱漁港－彩色街屋
ヂョオンビンユーガン－ツァイスージエウェンチャンジャージュージエ

P.58

大稲埕戲苑
ダーダオチョンシーユエン

同安樂
トンアンルゥー

P.59

大稲埕慈聖宮廟口美食
ダーダオチョンツーショオンゴンミィァオコウメイシー

有多聞稲埕香料館
ヨウドゥオウェンダオチョンシィアンリィァオグァン

永楽市場 布市場
ヨンラシーチャン ブーシーチャン

P.60

陶朱隱園
タオジューインユエン

竹村居酒屋
ジューツゥンジュージュウウー

台北市政府戲沙
タイペイシーヂョオンフシーシャアー

P.61

PIER5
ピア ファイブ

好樂好遊艇包船（淡水川クルーズ
ハオラハオヨウティンパオチュァン

永楽市場 布市場
ヨンラシーチャン ブーシーチャン

台北市河濱自行車租借站(大稲埕站)（絶景サイクリング）
タイペイシーホービンズーシンチャーズージェジャン（ダーダオチョンジャン）

2章

P.66

深澳漁港
シェンアオユーガン

深澳漁港海天步道
シェンアオユーガンハイティエンブーダオ

深澳鐵道自行車
シェンアティエダオズーシンチャー

海鮮熱炒（代表的な店舗）
ハイシェンルーチャオ

P.67

湯圍溝溫泉公園
タンウェイゴウウェンウェンチェンゴンユェン

重口味溫泉魚
ジョンコウウェイウェンチェンユー

金車生技水産養殖研発中
ジンチャーシェンジーシュイチャンヤンジーイェンファジョンシン

伴手禮
バンショウリー

P.68

台北探索館
タイベイタンスォグァン

新北市美術館
シンベイシーメイシュグァン

國立中正紀念堂
グゥオリーヂョンヂァンジーニィエンタン

从森國産木材展售中心
ツォンセングゥオチャンムーツァイヂャンショウヂョンシン

蝴蝶宮昆蟲科學博物館
フーディエゴンクンチョンクゥーシュエブォウーグァン

P.69

小紅唇月經博物館
シァオホンツゥオユエジンブォウーグァン

四四南村
スースーナンツン

國立臺灣博物館
グゥオリータイワンブォウーグァン

國立臺灣博物館古生物館
グゥオリータイワンブォウーグァングーシォンウーグァン

郵政博物館臺北館
ヨウヂォンブォウーグァンタイベイグァン

國立臺灣博物館南門館
グゥオリータイワンブォウーグァンナンメングァン

3章

P.72

Ⓐ
李製餅家
リージービンジャー

Ⓑ
福田一方鳳梨酥
フーティエンイーファンフォンリースー

P.73

Ⓒ
聖保羅烘焙（セントポール）
シェンバオロゥコンベイ

Ⓔ
裕珍馨台北南京旗艦店
ユーヂェンシンタイベイナンジンチージィェンディエン

P.80

小北百貨台北寧夏店
シャオベイバイフオ　ニンシャーディエン

P.81

嘉政餐具設備
ジャージェンツァンジューシャーベイ

P.93

梨花藝術美睫紋繡京站店
リーファーイーシューメイジエウェンシュウジンザンディエン

5章

P.101

傑仕堡有氧酒店
ジェシーバオヨウヤンジゥディェン

P.102

漫步1948（Meander 1948 Hostel）
マンブー 1948

P.117

リリ・台湾タクシーチャーター

4章

P.84

蒸足館
ヂェンズーグゥアン

P.85

上好專業美容護膚（台北店）
シャンハオヂュアンイエメイロンフーフー

P.86

巧手視障經絡按摩
チャオショウシージャンジンロウアンモウ

真好盲人按摩站
ジェンハオマンレンアンモウジャン

P.87

中華世界刀療協會
ジョンフアシージエダオリャオ

P.88

原始點養生館
ユエンシーディエンヤンショオングゥアン

P.89

沐心艾灸經絡養生堂
ムーシンアイジュウジンルオヤンショオングゥアン

P.90

台北撥筋堂羅斯福路店
タイベイボージンタンロースーフーディエン

P.91

DN朵恩采耳美妍
DNドゥオエンツァイアルメイイエン

P.92

No15 Nail & Lash美甲美睫士林店
No15 Nail & Lashメイジャメイジェシーリンディェン

商品の価格や各スポットの名称、住所、
営業時間などは2024年4月のもので、
変更になる場合があります。

台湾料理研究家
著者　小河知恵子

2010年、初めての台湾旅行で、豊かな食材と多種多様な料理に魅了される。
料理研究家、フードコーディネーターとして雑誌やテレビなどで活躍後、2017年、台湾に短期料理留学。現地の料理教室で、アンバサダーホテルや圓山ホテルの元シェフなどから学び、80種類以上の台湾料理を習得。
台湾料理と台湾が好きすぎるあまり、2019年から、幼稚園児の息子とともに台湾に生活拠点を移す。現地にいるからこそわかる本物の台湾料理や食文化を研究、紹介している。著書に「現地発 おいしい台湾 朝・昼・晩」「現地発 台湾ルーローハンとお米料理」（春陽堂書店）など。

https://ogawa-chieco.com/

Instagram

グルメも美容《びよう》もお土産《みやげ》も！
地《じ》元《もと》価《か》格《かく》で楽《たの》しむ
台《たい》湾《わん》コスパ旅《たび》

2024年5月25日　第1刷発行

著者　小河知恵子
発行者　島野浩二
発行所　株式会社双葉社
〒162－8540　東京都新宿区東五軒町3番28号
電話　03－5261－4818（営業）
03－5261－4827（編集）
http://www.futabasha.co.jp/
（双葉社の書籍・コミック・ムックが買えます）
印刷所・製本所　中央精版印刷株式会社

ISBN 978-4-575-31872-2　C0076

STAFF

装丁
瀬戸冬実（futte）

写真
五味稚子
（p50、p51、p61、p65の＊印および p84、p86、p87、p88、p91、p92、p101を除く）

アシスタント
6線ストライプ制作
（陳美保、平賀匡）

協力
草野由恵、呉宥誼Karin

進行管理
中井敬之（双葉社）